C. PEGORARO | V. PACCAGNELLA

DAVVERO ITALIANO

vivere e pensare all'italiana

GUIDA PRATICA PER STRANIERI CON ESERCIZI

ALMA Edizioni

Direzione editoriale: Ciro Massimo Naddeo
Redazione: Marco Dominici
Copertina: Lucia Cesarone
Progetto grafico: Lucia Cesarone e Gabriel de Banos
Impaginazione: Gabriel de Banos
Illustrazioni: Valerio Paccagnella
Fonti iconografiche: www.almaedizioni.it/davvero-italiano

Printed in Italy
ISBN 978-88-6182-561-1
Prima edizione: 2019

Ringraziamenti e dediche

Valerio:
Dedico questo libro ai miei genitori. Può sembrare una cosa banale ma non lo è.
Poi lo dedico ai miei amici, soprattutto a coloro che hanno ispirato le molteplici comparse che popolano queste pagine. Sì, compreso te che fai tanto lo gnagno.
Inoltre lo dedico allo staff della Tana del Sollazzo, il mio sito. Perché con queste persone ho fatto grandi cose e intendo farne molte altre.
Ma soprattutto lo dedico agli stranieri e alle straniere che negli ultimi anni sono entrati nella mia vita e che mi hanno permesso di creare ponti. Senza dogane, da Luanda a Durazzo.

Chiara:
Ringrazio di cuore i miei amici e colleghi Emanuele Stefanori ed Elisabetta Vanni per l'aiuto e i preziosi suggerimenti nelle fasi iniziali del progetto e ringrazio anche Yann Choderlos de Laclos per simmetria.
Un grazie speciale a Michela Guida per i consigli, il supporto morale e lo scambio di idee; le parti 4 e 5 dell'unità 18 sono state ispirate da un'attività creata da lei. Ringrazio anche Roberto Gamberini per il suo occhio di falco e la chiaroveggenza. Grazie di cuore a Marco Dominici per il contributo creativo, questo libro ha molte tracce del suo lavoro gentile e discreto.
Diverse persone hanno concesso i materiali che rendono più completo e interessante questo libro, voglio ringraziare in particolare Cibo, Adrián Pino Olivera, Natalia Karpman e il Museo della Pasta di Collecchio. Grazie di cuore alla famiglia Picciotto e alla meravigliosa ospitalità del sud: più che un ricordo, una storia fantastica.
Un ringraziamento speciale va ai molti studenti che hanno testato questi materiali, in particolare Edward Miles e Shvutya Bruck. Ancora una volta mi avete insegnato che un'insegnante non è nulla senza i suoi studenti.
Per concludere voglio ringraziare tutti gli stranieri, studenti e non, che in questi anni mi hanno insegnato che cos'è questo strano paese in cui mi è capitato di nascere.

Dedico questo libro a Ciro e Aida, i miei italiani preferiti.

ALMA Edizioni
Viale dei Cadorna, 44
50129 Firenze
alma@almaedizioni.it
www.almaedizioni.it

Davvero italiano è un libro per lo studio dell'italiano **L2** o **LS** che affronta tematiche culturali a partire da errori di comunicazione rappresentati a fumetti. Si presta ad essere usato sia come lettura facilitata per lo studio individuale che come materiale integrativo in un corso di lingua.

LA STRUTTURA DELLE UNITÀ

Ogni unità didattica si apre con una fase di motivazione, **Per cominciare**, in cui si introduce il tema della lezione e vengono elicitate le parole chiave per la comprensione del testo. In seguito vi è il **fumetto** vero e proprio, che si svolge secondo uno schema narrativo fisso. Val, il protagonista, cade in un equivoco culturale e linguistico. La sua spalla italiana, Piero, esplicita la differenza fra le diverse culture in una mini lezione, dove veste i panni di professore, e la storia si conclude con una battuta o uno sketch divertente. L'unità prosegue con esercizi per aiutare la comprensione globale e analitica, **Capire il fumetto**, come domande vero/falso, riordino di sequenze illustrate e abbinamenti. Questa parte dell'unità si conclude, quando possibile, con un esercizio di rinforzo delle strutture grammaticali presenti nel fumetto. Nella parte successiva, **Lingua e cultura**, vengono approfondite le tematiche affrontate nella lezione del "Professor Piero". Le differenze culturali vengono esplicitate e si scrivono le regole di comportamento da seguire. Si lavora in maniera approfondita anche sul lessico, ampliando e approfondendo il lessico legato al tema principale della storia. Nei livelli B1 e B2, quando le storie sono ambientate in una località specifica si trova una pagina di approfondimento sulla città o la regione che fa da sfondo alla vicenda. Al termine di questa parte può anche essere presente un box con una curiosità sulla lingua. L'unità si conclude con alcuni esercizi di comparazione interculturale, **Culture a confronto**, dove lo studente, ormai diventato esperto dell'argomento preso in esame, deve tirare le somme del discorso facendo una comparazione con la sua cultura di origine.

Il testo quindi viene affrontato secondo tre diversi criteri: l'**analisi culturale**, l'**ampliamento lessicale** e la spiegazione di una regola di **grammatica**. Questa scelta è stata fatta per dare ai lettori, o agli insegnanti, più spunti per avvicinarsi al materiale proposto. Gli esercizi seguono la linea del materiale a fumetti e hanno spesso un approccio ludico, con uso di soluzioni guidate e illustrazioni aggiuntive. Le fotografie contribuiscono a dare colore e ad aggiungere precisione nei momenti di approfondimento lessicale.

IL FUMETTO

Ogni storia è composta da tre tavole. La prima getta le premesse per un malinteso linguistico-culturale che si svolge nella seconda tavola, il nucleo centrale di ogni storia. La tavola finale serve a sciogliere l'incomprensione e a dare le regole della cultura italiana. Gli episodi sono autoconclusivi e permettono allo studente di scegliere il livello di competenza più appropriato, senza perdere il filo della narrazione, e agli insegnanti di sottoporre alle classi solo gli argomenti di interesse.

Il linguaggio dei fumetti, con il suo codice misto di testo e illustrazioni, si adatta bene a descrivere la comunicazione interculturale. Infatti, i pensieri e le aspettative dello straniero si possono rendere con immagini o con frasi semplici all'interno di nuvolette. Senza questo espediente, il livello linguistico necessario per affrontare lo stesso argomento sarebbe senza dubbio più alto. Allo stesso modo, usando una mimica facciale esagerata è più semplice comunicare al lettore lo stato d'animo del personaggio, con lo scopo di valorizzarne i dialoghi e semplificare i meccanismi di commedia degli equivoci che stanno dietro ad ogni episodio.

I CONTENUTI CULTURALI

La cultura presa in esame dai due protagonisti ha i tratti distintivi del carattere nazionale per come lo vede uno straniero, quindi i forti contrasti prevalgono sulle sfumature: ogni fenomeno viene descritto e rappresentato in modo marcato e quasi caricaturale, ma questo è un espediente che permette poi di affrontare il fenomeno in maniera più articolata, attraverso le attività, i box di approfondimento e le letture, tratte sempre da materiali autentici. Gli argomenti affrontati includono l'interpretazione della prossemica e della gestualità, il fenomeno dei 'mammoni', la gestione del tempo e del denaro, il comportamento nel traffico e il rapporto con la burocrazia; viene anche dato risalto alla cultura del cibo italiano con diverse unità che affrontano vari aspetti della cultura gastronomica e del galateo da tenere a tavola. Gli argomenti vengono sempre discussi a partire da una gaffe del protagonista straniero. In questo modo si punta a stimolare la capacità dello studente di immedesimarsi: si tratta di malintesi molto comuni, che facilmente possono capitare a uno straniero in viaggio in Italia.

PERSONAGGI PRINCIPALI

Val Pak

È lo straniero. Non sappiamo da che paese viene, ma gira per l'Italia studiando l'italiano e gli italiani, notando le differenze fra la sua cultura e quella italiana. È aperto e curioso, sempre pronto a imparare ed è ansioso di immergersi nelle nostre tradizioni. Ha una certa predisposizione per le gaffe da cui però non si lascia scoraggiare, ma che prende come stimolo per migliorare.

Piero Brando

È l'italiano, l'esperto di cose italiane. Non sappiamo che lavoro faccia o che cosa studi, ma è di fatto un mediatore culturale e può facilmente capire le difficoltà che incontra uno straniero. Sostituisce l'insegnante nell'esplicitare le differenze con la cultura di Val, infatti in ogni episodio si trasforma in professore e dà una lezione di cultura italiana sull'argomento dell'unità. Ha parenti in tutta Italia e questo permette ai protagonisti di viaggiare nelle principali città italiane, oltre a esplorare le dinamiche sociali della vita familiare.

UNITÀ 1 – PARLO IO!

Per cominciare

1.1 • *Completa i fumetti con le parole della lista.*

piacere | **ciao** | **grazie**

1.2 • *Riordina le vignette e poi leggi la storia per verificare la tua ipotesi.*

a. AH, SEI STRANIERO? DI DOVE?

DI...

UNA SERA IN UN LOCALE...

b. CIAO A TUTTI, LUI È VAL!

CIAO, PIACERE!

c. TI PRESENTO GIANNI, MICHELA, EMANUELE, ELISABETTA E ANDREA!

1. ___ ; 2. ___ ; 3. ___

PARLO IO!

parte 3 • Capire il fumetto

3.1 • *Completa i dialoghi con le parole della lista. Attenzione: c'è una parola in più!*

anche | chi | piacere | sei | che cosa | ti presento | che cosa

1.

UNA SERA IN UN LOCALE...

CIAO A TUTTI, LUI È VAL!

CIAO, _____

2.

ANCHE TU ___ UNO STUDENTE?

IO...

_____ STUDI?

3.

_____ DICE?

_____ LUI È UNO STUDENTE.

E CHE COSA STUDI?

IO DOMANI HO UN TEST.

4.

_____ GIANNI, MICHELA, EMANUELE, ELISABETTA E ANDREA!

3.2 • *Rileggi la storia e poi segna se queste affermazioni sono vere (V) o false (F).*

	V	F
1. Val non conosce gli amici di Piero.	☐	☐
2. Elisabetta ha gli occhiali.	☐	☐
3. Gianni non sa come si scrive il nome di Val.	☐	☐
4. Andrea ha un test domani.	☐	☐
5. Gli amici di Piero interrompono Val quando vuole parlare.	☐	☐

3.3 • *Ricostruisci le conversazioni degli amici di Piero. Scrivi la risposta o la domanda appropriata.*

1. **No, è straniero** | **2.** **Si scrive V- A – L.** | **3.** **Che test hai domani?**

parte 4 **Approfondiamo: lingua e cultura**

4.1 • *Completa il fumetto scegliendo le opzioni corrette.*

1. parola / conversazione   **2.** interrompere / rompere   **3.** mi piace / interesse

4.2 • *Inserisci le opzioni giuste sotto a ogni immagine.*

esprimere sentimenti con il viso | **gesticolare** | **interrompere** | **parlare a voce alta**

1. _____

2. _____

3. _____

4. _____

4.3 • *Collega ogni tessera con una domanda alla risposta corrispondente, come nell'esempio.*

a.	INIZIO	Come stai?

b.	Sono svedese.	Cosa studi?

c.	Domani.	Quanti anni hai?

d.	Studio.	Andiamo al cinema questa sera?

e.	Inglese.	Cosa fai domani?

f.	Non posso, ho l'esame.	Quando hai l'esame?

g.	Bene, grazie.	Di dove sei?

h.	Ventiquattro.	FINE

5.1 • *Puoi utilizzare i verbi e le espressioni dell'attività* **4.2**.

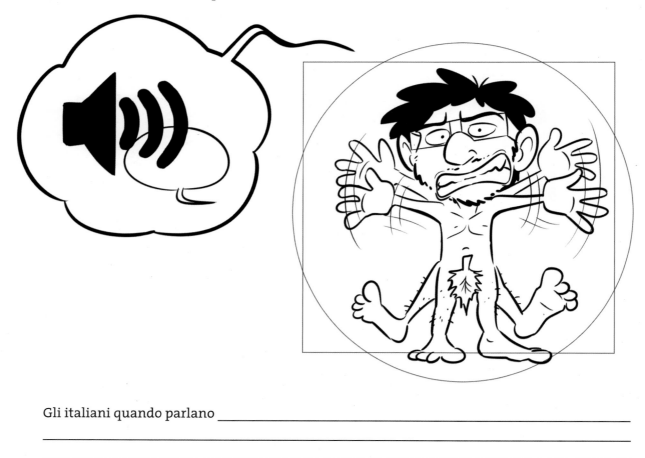

Gli italiani quando parlano _____

_____

_____

_____

5.2 • *Osserva le domande e parla con un compagno delle differenze fra l'Italia e il tuo paese.*

GLI ITALIANI...

GESTICOLANO?

PARLANO A VOCE ALTA?

INTERROMPONO SPESSO?

ESPRIMONO SENTIMENTI CON IL VISO?

AIUTANO LE PERSONE CHE NON PARLANO BENE L'ITALIANO?

Ti disturba o anche nel tuo paese è così?

UNITÀ 2 – LA COLAZIONE

Per cominciare

1.1 • *Quali foto rappresentano la colazione, secondo te?*

1.2 • *Completa con le parole della lista.*

CENA   COLAZIONE   PRANZO

La _____ si fa la mattina.

Il _____ è a metà giornata.

La _____ si fa la sera.

LA COLAZIONE

parte 3 · Capire il fumetto

3.1 • *Rileggi la storia, segna se queste affermazioni sono vere (V) o false (F) e ricopia la lettera corrispondente nello schema sotto, come nell'esempio. Ogni risposta corretta dà una lettera della risposta alla domanda finale.*

	V	F
1. Piero abita vicino alla stazione.	Ⓒ	M
2. Piero mette la sveglia alle 7.30.	O	A
3. Val ha già fatto colazione a casa di un italiano.	R	P
4. Val sogna una colazione molto ricca.	P	M
5. La mattina dopo Val ha molto sonno.	U	E
6. Piero dà a Val delle uova.	L	C
7. Piero dà a Val del caffè.	C	L
8. Val è contento della colazione.	A	I
9. Piero spiega che la colazione italiana è sempre dolce.	N	T
10. Al bar Val e Piero si siedono al bancone.	A	O

A colazione molti italiani bevono il [C][ ][ ][ ][ ][ ][ ][ ][ ][ ]

3.2 • *Abbina l'illustrazione all'aggettivo corrispondente, come nell'esempio.*

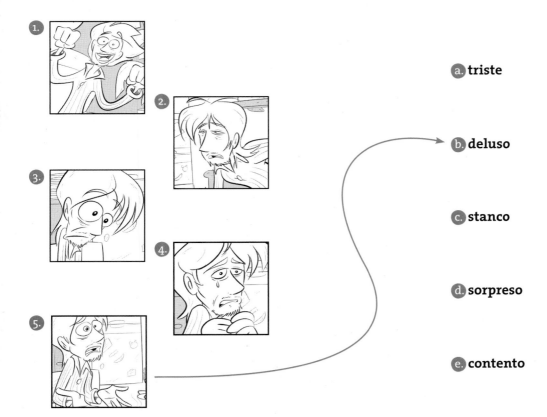

a. **triste**

b. **deluso**

c. **stanco**

d. **sorpreso**

e. **contento**

3.3 • *Completa la griglia con le forme del verbo* **fare** *e sistemale nei fumetti, come nell'esempio.*

fa | **fai** | **fate** | **fanno** | **faccio** | **facciamo**

FARE	
io	
tu	
lui/lei	fa
noi	
voi	
loro	

1. Piero non _fa_ mai colazione al bar.

2. Che bello! Per la prima volta da quando sono in Italia _____ colazione a casa di un italiano.

3. Io e Paolo prendiamo sempre cappuccino e cornetto quando _____ colazione.

6. Voi _____ sempre colazione tardi.

4. Alberto, è questo il bar dove tu _____ colazione?

5. Al bar tutti _____ colazione in piedi.

---

parte 4 Approfondiamo: lingua e cultura

4.1 • *Questi cibi fanno parte della colazione italiana?*

LA COLAZIONE ITALIANA È SEMPLICE E VELOCE. GLI ITALIANI BEVONO CAFFÈ, LATTE, TÈ O UN SUCCO E MANGIANO SOLO BISCOTTI, O CORNETTI, O NIENTE. NON MANGIANO UOVA, CARNE O VERDURE.

1.
SÌ ☐ NO ☐

2.
SÌ ☐ NO ☐

3.
SÌ ☐ NO ☐

4.
SÌ ☐ NO ☐

5.
SÌ ☐ NO ☐

6.
SÌ ☐ NO ☐

BRIOCHE O CORNETTO?

In Italia il dolce tipico della colazione si può chiamare *cornetto* oppure con la parola francese *brioche*.

Brioche è usato al nord, mentre *cornetto* si usa al centro-sud.

■ brioche
□ cornetto

parte 5 — Culture a confronto

5.1 • *Fai il test e scopri quanto sei italiano a colazione!*

1. A che ora fai colazione?
a. □ Dalle 5 alle 5:30.
b. □ Dalle 10 alle 10:30.
c. □ Dalle 7:15 alle 7:45.

2. Che cosa mangi?
a. □ Uova e pancetta.
b. □ Cereali, yogurt e frutta.
c. □ Pane e marmellata o biscotti.

3. Dove fai colazione?
a. □ Compro la colazione al bar e mangio e bevo mentre cammino.
b. □ A casa davanti al computer.
c. □ Al bar, in piedi al bancone.

4. Che cosa bevi?
a. □ Caffellatte al cacao.
b. □ Tè.
c. □ Cappuccino.

5. Qual è il contenitore più adatto per il tuo caffè?

a. □ il bicchierone   b. □ la tazza   c. □ la tazzina

Sei italiano come… una pizza con l'ananas

Per il momento sei italiano solo in superficie. Continua a frequentare il nostro bellissimo paese.

Sei italiano come… Super Mario

Sei nato all'estero ma hai preso così tante abitudini italiane che sei diventato sicuramente uno di noi. Bentornato, compaesano!

Sei italiano come… Leonardo

Le abitudini italiane sono così importanti per te perché probabilmente le hai inventate tu! Grazie, Maestro.

5.2 • *Riordina queste parole e scopri la frase sulla colazione.*

della | colazione | è | il | importante | pasto | più

La _____ giornata.

5.3 • *Rispondi alle domande e parla con un compagno delle differenze fra la colazione italiana e quella del tuo paese.*

Nel tuo paese…
A che ora si fa colazione?
Dove si fa colazione, in casa o al bar?
Quanto tempo dura?
Si fa qualche altra cosa mentre si mangia? (Leggere il giornale, parlare, guardare la TV…)

UNITÀ 3 – LA STRADA

Per cominciare

1.1 • *Separa le frasi e scrivile sotto alle foto corrispondenti, come nell'esempio.*

~~passaredavanti~~girareasinistraattraversarelastradaandaredrittogirareadestra

passare davanti   _____   _____   _____   _____

1.2 • *Quattro di questi veicoli sono italiani. Sai dire quali?*

LA STRADA

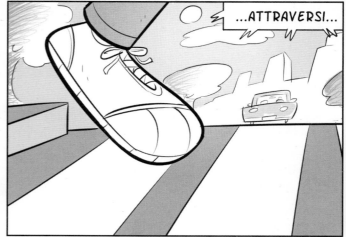

parte 3 — Capire il fumetto

3.1 • *Scrivi le parole sotto a ogni immagine, come nell'esempio.*

~~semaforo~~ | **traffico** | **piazza** | **attraversare** | **strisce pedonali** | **suonare il clacson**

1.

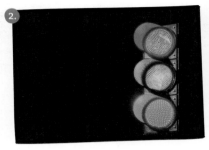

2.

semaforo

3.

4.

5.

6.

3.2 • *Guarda attentamente questa sequenza e scegli la risposta corretta.*

Perché Val non riesce ad attraversare?

a. ☐ Perché non attraversa sulle strisce.

b. ☐ Perché non sa dove andare.

c. ☐ Perché le macchine non si fermano.

3.3 • *Secondo te, cosa pensa Val in queste occasioni? Completa le nuvolette con i pensieri di Val.*
Attenzione: ci sono due frasi in più.

a. Aiuto!
b. Ehi, attento! Troppo vicino!
c. Che bella macchina!

d. Dove andiamo?
e. Questa è una buona idea!
f. Ci sono le strisce! Perché non si ferma?

3.4 • *Completa le frasi con **ci vuole** o **ci vogliono**, come nell'esempio.*

a. Per arrivare in Piazza Indipendenza
   ___ci vogliono___ 10 minuti.
b. Per andare da Milano a Palermo in treno
   _____ circa 15 ore, ma in aereo
   _____ solo un'ora e quaranta
   minuti!
c. Per preparare il tiramisù _____
   20 minuti.

d. Per fare il ragù _____ almeno 3
   ore.
e. Quanto _____ per tornare a
   casa tua?
f. È un lavoro facilissimo. _____
   un minuto.
g. Quante ore _____ per arrivare
   da Roma a Torino?

Completa la regola.

Ci vuole *si usa al* _____, ci vogliono *si usa al* _____.

parte 4 · Approfondiamo: lingua e cultura

4.1 • *Associa i cartelli alle descrizioni, come nell'esempio.*

 a.
 b.
 c.
d.
e.
f.

1 (a) **pericolo animali selvatici**
2 ◯ **strisce pedonali**
3 ◯ **lavori in corso**
4 ◯ **pericolo incendi**
5 ◯ **vietato suonare il clacson**
6 ◯ **pista ciclabile**

4.2 • *Segui le indicazioni stradali e disegna il percorso che fa Val per arrivare dove si trova Piero.*

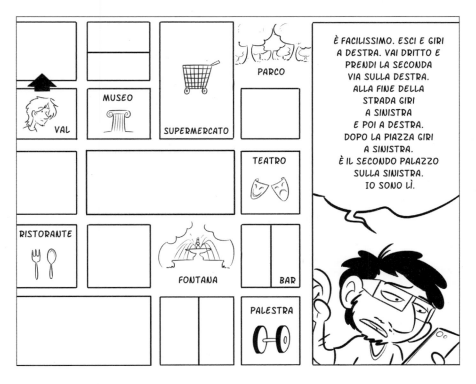

VAL · MUSEO · SUPERMERCATO · PARCO · TEATRO · RISTORANTE · FONTANA · BAR · PALESTRA

È FACILISSIMO. ESCI E GIRI A DESTRA. VAI DRITTO E PRENDI LA SECONDA VIA SULLA DESTRA. ALLA FINE DELLA STRADA GIRI A SINISTRA E POI A DESTRA. DOPO LA PIAZZA GIRI A SINISTRA. È IL SECONDO PALAZZO SULLA SINISTRA. IO SONO LÌ.

STRADA, VIA, CORSO

Via e *strada* sono sinonimi. Normalmente *via* si usa con il nome (Es: via Garibaldi è molto trafficata) e *strada* si usa senza nome (Es: quella strada è molto trafficata).

Il *corso*, invece, è una grande strada di città, con molti negozi eleganti. In Italia, tutte le città hanno un *corso*.

5.1 • *L'Italia non è l'unico paese dove è difficile attraversare la strada. Completa il testo con le parole mancanti, come nell'esempio.*

~~incidenti~~ | **strisce** | **fermano** | **attraversare** | **semaforo** | **automobilisti**

Nel 2001 la città boliviana di La Paz decide di risolvere il problema degli ___*incidenti*___ stradali.
24 volontari vestiti da zebra aiutano le persone ad _____ la strada. Stanno agli incroci delle strade e vicino alle _____ pedonali, _____ le macchine per permettere ai pedoni di passare e sgridano gli _____ che non rispettano le regole, per esempio se parlano al telefono o passano con il _____ rosso. Con il tempo le *cebritas*, questo è il loro nome in spagnolo, sono diventate importantissime. Adesso sono più di cento volontari e si occupano anche di progetti sociali.

da Un solo mondo

5.2 • *Associa le foto alle descrizioni.*

1. ◯ **pericolo elefanti** – Sud Africa
2. ◯ **vietato attraversare** – Giappone
3. ◯ **vietato ai venditori ambulanti** – Zimbabwe
4. ◯ **pericolo nebbia** – Grecia
5. ◯ **sito archeologico** – Colombia
6. ◯ **strada sicura in caso di eruzione vulcanica** - Indonesia

5.3 • *Rispondi alle domande e parla con un compagno delle differenze fra il tuo paese e l'Italia.*

Nel tuo paese...

Si guida a sinistra o a destra?

Gli automobilisti si fermano alle strisce pedonali?

Ci sono tanti motorini?

Ci sono le piste ciclabili?

Normalmente gli automobilisti rispettano il codice della strada?

UNITÀ 4 – NON HA MONETA?

parte 1 **Per cominciare**

1.1 • *Conosci questi metodi di pagamento? Scrivi le parole sotto a ogni immagine, come nell'esempio.*

~~assegno~~ | **carta di credito** | **monete** | **banconote**

_____ _____ _____ _____assegno_____

1.2 • *Inserisci nel dialogo le battute mancanti, come nell'esempio.*

~~Buongiorno, mi dica.~~ | **Un euro e cinquanta.** | **Arrivederci!** | **Basta così?.**

- Buongiorno!
- Buongiorno, mi dica.
- Vorrei "Il Corriere della sera", per favore.
- _____
- Sì, basta così. Quant'è?
- _____
- Ecco a Lei.
- Grazie, arrivederci.
- _____

Dove possiamo sentire questo dialogo? Segna con una X la risposta corretta.

☐ al bar ☐ in edicola ☐ in stazione

NON HA MONETA?

VAL E PIERO SONO A GENOVA.

CHE BELLA GENOVA! TU SEI ANDATO ALL'ACQUARIO?

NO, MAI. CI ANDIAMO ADESSO!

SÌ! COMPRO I BIGLIETTI DELL'AUTOBUS.

EDICOLA

DUE BIGLIETTI DELL'AUTOBUS, PER FAVORE!

50 EURO?!

EHM, SÌ...

MA DUE BIGLIETTI COSTANO 3 EURO, NON HA MONETA?

TRANQUILLO, FACCIO IO.

parte 3 — Capire il fumetto

3.1 • *Riordina la sequenza, come nell'esempio.*

   a. *Val va in edicola per comprare il biglietto dell'autobus.*
   b. Piero paga con le monete.
   c. Val paga con una banconota da 50 euro.
   d. L'edicolante si stupisce perché Val vuole pagare una cosa di poco prezzo con una banconota.

1 (a) - 2 ◯ - 3 ◯ - 4 ◯

3.2 • *Rileggi la storia e trova le 5 frasi vere, come nell'esempio. Le lettere abbinate alle frasi corrette formano il nome di questo edificio del porto di Genova.*

1.	Val e Piero sono a Napoli.	C
2.	Piero non è mai stato all'acquario.	(B)
3.	Un biglietto dell'autobus costa 3 euro.	A
4.	Val prova a pagare i biglietti con 50 euro.	O
5.	Val vuole offrire i caffè.	L
6.	Piero vuole un cappuccino.	M
7.	Val compra l'acqua in un ristorante.	P
8.	Val è contento della colazione.	A
9.	Val non riesce mai a pagare con 50 euro.	L
10.	Paga sempre Piero.	A

La B _ _ _ _ di Renzo Piano

3.3 • *Riconstruisci le frasi, come nell'esempio.*

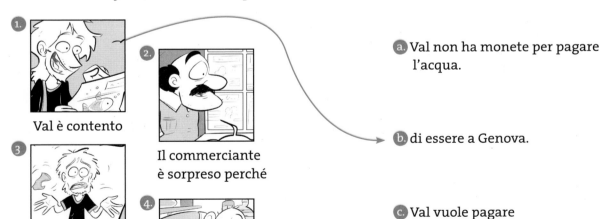

1. Val è contento

2. Il commerciante è sorpreso perché

3. Val è disperato

4. Il commerciante è arrabbiato perché

a. Val non ha monete per pagare l'acqua.

b. di essere a Genova.

c. Val vuole pagare i biglietti con 50 euro.

d. perché non riesce mai a pagare.

4.1 • *Completa il testo con le parole illustrate qui sotto, come nell'esempio.*

 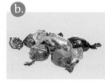   

"Qual è il problema con le ___monete___ in Italia?" si chiedono tutti i turisti dopo uno o due giorni. In gelateria, in _____, alla posta, in un museo e anche nei bar i clienti sono obbligati a pagare il prezzo esatto. La persona alla cassa aspetta con pazienza mentre cercate una moneta da venti centesimi nella vostra_____. È possibile che un commerciante rifiuti di vendere un _____ o una bottiglia d'acqua se avete intenzione di pagare con una _____ da 50 euro. Questa mancanza di monete esiste da prima dell'euro, dai tempi della lira. Negli anni '70 in Italia la mancanza di monete ha costretto molti commercianti a dare come resto _____, francobolli o miniassegni: soldi stampati dalle banche per sostituire le monete.

da tuscantraveler.com

4.2 • *Immagina di pagare con una banconota da 5 euro questi articoli. Associa ogni articolo al resto che ricevi, come nell'esempio.*

1. (h) tre euro e cinquanta
2. ◯ quattro euro
3. ◯ quattro euro e venti
4. ◯ un euro e quaranta

5. ◯ tre euro e venti
6. ◯ tre euro e novanta
7. ◯ un euro
8. ◯ tre euro e quaranta

a. 0.80€

b. 1.80€

c. 4.00€

d. 1.00€

e. 3.60€

f. 1.10€

g. 1.60€

h. 1.50€

MONETA, SPICCI O SPICCIOLI?

In Italia i commercianti chiedono molto spesso di pagare il prezzo esatto per cose che costano poco. Al nord è più comune sentire la frase: *Ha moneta?* o *Ha spiccioli?* Al centro-sud invece di solito si usa l'espressione: *Ha spicci?*

parte 5 — Culture a confronto

5.1 • *Associa le foto alle descrizioni, come nell'esempio.*

a.

b.

c.

d.

e.

f.

1. (f) C'è un bancomat anche in Antartide. È in una grande base scientifica e distribuisce solo dollari americani.

2. ◯ La banconota di taglio più alto è da 100 mila miliardi. È stata stampata dalla Banca dello Zimbabwe nel 2009.

3. ◯ Le donne sono ritratte solo sull'8% delle banconote. In Italia solo Maria Montessori, la grande pedagogista e scienziata, ha avuto questo onore nel 1990.

4. ◯ In Giappone ci sono delle vaschette vicino alla cassa per mettere i soldi. Non è il caso di dare i soldi in mano al cassiere.

5. ◯ La regina Elisabetta di Inghilterra ha un record particolare: è la persona comparsa sul maggior numero di valute nella storia. Il suo ritratto compare sulle banconote di 30 paesi.

6. ◯ I salvadanai sono a forma di maialino da ormai duecento anni. Questa tradizione è iniziata grazie alla somiglianza fra la parola inglese *pig*, maiale, e *pygg*, un tipo di argilla usata per costruire piatti, bicchieri e... salvadanai.

5.2 • *Osserva il retro di queste monete. Riconosci questi monumenti e queste opere d'arte? Abbina ogni immagine al nome dell'opera, come nell'esempio.*

1. *Forme uniche nella continuità e nello spazio*, Umberto Boccioni
2. *Uomo vitruviano*, Leonardo da Vinci
3. Ritratto di Dante Alighieri
4. Dettaglio di *La nascita di Venere*, Sandro Botticelli

5. *Piazza del Campidoglio*, Roma
6. *Mole Antonelliana*, Torino
7. *Colosseo*, Roma
8. *Castel del Monte*, Puglia

5.3 • *Rispondi alle domande e parla con un compagno delle abitudini legate ai soldi in Italia e nel tuo paese.*

Nel tuo paese...

Come si chiama la valuta del tuo paese?

Quali sono le monete e le banconote disponibili?

Nel tuo paese è normale pagare con la carta di credito?

Le persone pagano le cose che costano poco con le monete o con le banconote?

È normale comprare molte cose online?

Che cosa è disegnato sulle monete e sulle banconote? Ci sono monumenti o persone famose?

UNITÀ 5 – A TAVOLA: SÌ O NO?

parte 1   Per cominciare

1.1 • *Associa le parole della lista alle foto, come nell'esempio.*

~~pasta~~ | pesce | carne | formaggio

| a. | b. | c. | d. |

_____pasta_____   _____   _____   _____

1.2 • *In Italia, molte città sono famose per un piatto tipico. Associa i piatti alle città di origine, come nell'esempio.*

1. BISTECCA ALLA FIORENTINA

Milano

Bologna

Genova

Firenze

4. CANNOLI SICILIANI

2. RISOTTO ALLO ZAFFERANO

Napoli

5. TROFIE AL PESTO

3. PIZZA MARGHERITA

Palermo

6. TAGLIATELLE AL RAGÙ

A TAVOLA: SÌ O NO?

I PASTI HANNO REGOLE PRECISE:
IL PRIMO È UN PIATTO DI PASTA, DI RISO, O UNA ZUPPA.
A TAVOLA GLI ITALIANI MANGIANO LA PASTA, O LA PIZZA, MAI TUTTE E DUE.
IL SECONDO È CARNE O PESCE, IL CONTORNO UN PIATTO DI VERDURE.

PRENDIAMO IL CAFFÈ SOLO ALLA FINE DEL PASTO, MAI IL CAPPUCCINO! E DI SOLITO NON MANGIAMO PIATTI DI CARNE E PESCE NELLO STESSO PASTO.

20 MINUTI DOPO...

ECCO QUA, BUON APPETITO!

PAF

...E NON METTIAMO MAI IL FORMAGGIO SUI PIATTI DI PESCE.

FINE!

parte 3 · Capire il fumetto

3.1 • *Completa le vignette con le parole mancanti. Attenzione: c'è una parola in più!*

vongole | primo | caffè | zucchine | spaghetti | pesce | secondo

3.2 • *Mentre ordina, Val fa diversi errori culturali. Segna la frase corretta e spiega come fanno gli italiani quando ordinano il pranzo, come nell'esempio.*

1. Chiede due cappuccini **prima del pranzo** / **dopo il pranzo**.
   Gli italiani non bevono il cappuccino a pranzo, ma solo a colazione.
2. Chiede una pizza **dopo gli spaghetti** / **prima degli spaghetti**.
   _____
3. Chiede il riso come **secondo** / **contorno**.
   _____
4. Chiede il caffè **prima di pranzo** / **dopo il primo**.
   _____

3.3 • *Leggi di nuovo il fumetto e metti in ordine i piatti che Val e Piero hanno chiesto.*

TRATTORIA "DA CIRO" VIA SOLITARIA 16, NAPOLI		
TAVOLO	**COPERTI**	**CAMERIERE**
5	2	PEPPE

1 SPAGHETTI ALLE VONGOLE
~~1 PIZZA MARGHERITA~~
~~1 RISO~~
1 SPAGHETTI AL POMODORO
FRITTURA DI PESCE ~~(X)~~ (x2)
ZUCCHINE

x ——————————————— x

~~VINO~~
ACQUA NATURALE ~~(X)~~ (x2)
~~CAPPUCCINO~~
~~CAFFÈ~~

TRATTORIA "DA CIRO" VIA SOLITARIA 16, NAPOLI		
TAVOLO	**COPERTI**	**CAMERIERE**
5	2	PEPPE

3.4 • *Collega i puntini. Unisci i numeri ordinali dal più piccolo al più grande.*
Attenzione! Unisci solo i numeri scritti correttamente. Che cosa vedi?

PRIMO · TERNO
QUINDICESIMO · TERZO
QUATTORDICESIMO · SECONDO · QUARTO
TREDICESIMO · QUINTO
TRETESIMO ·
DODICESIMO · SESTO
UNDICESIMO ·
· SETTIMO
DECIMO · OTTIMO
DECINO · NONO · OTTAVO

parte 4 Approfondiamo: lingua e cultura

4.1 • *Riordina il menù. Inserisci questi piatti nella griglia, come nell'esempio.*

~~tagliata di manzo~~ | **bruschetta al pomodoro** | **grigliata di pesce** | **patate arrosto** | **caprese** | **risotto di verdure** | **carote al vapore** | **spaghetti alle vongole** | **patate fritte** | **gnocchi al ragù di carne** | **costine di agnello** | **prosciutto e melone** | **cotoletta alla milanese** | **insalata mista** | **minestrone contadino** | **tagliere di affettati**

ANTIPASTI	PRIMI	SECONDI	CONTORNI
		tagliata di manzo	

GRANA O PARMIGIANO?

In Italia, per condire i primi piatti a base di carne o verdure si usano due formaggi da grattare abbastanza simili: il Grana Padano e il Parmigiano Reggiano. Il Grana è più diffuso al nord, mentre nel centro-sud Italia si usa prevalentemente il Parmigiano.

4.2 • *In Italia questi cibi formano degli abbinamenti tipici. Completa le descrizioni con l'elemento mancante, come nell'esempio.*

~~birra~~ | **limone** | **basilico** | **rosmarino** | **melone** | **asparagi**

pizza + ___birra___

prosciutto + _____

patate + _____

uova + _____

tè + _____

pomodoro + _____

5.1 • *Associa il nome di questi piatti tipici alla loro descrizione, come nell'esempio.*

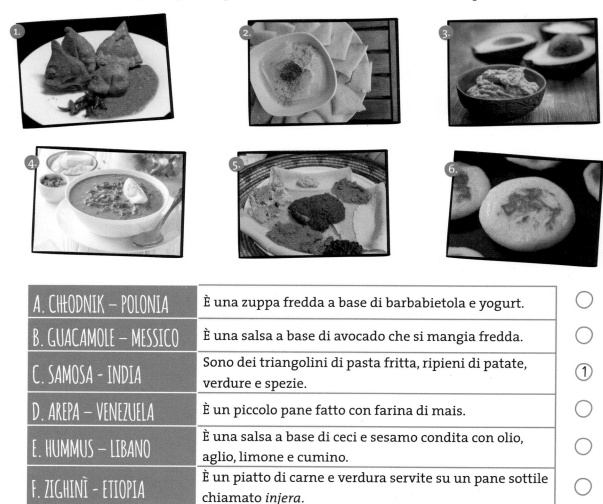

A. CHŁODNIK – POLONIA	È una zuppa fredda a base di barbabietola e yogurt.	○
B. GUACAMOLE – MESSICO	È una salsa a base di avocado che si mangia fredda.	○
C. SAMOSA – INDIA	Sono dei triangolini di pasta fritta, ripieni di patate, verdure e spezie.	①
D. AREPA – VENEZUELA	È un piccolo pane fatto con farina di mais.	○
E. HUMMUS – LIBANO	È una salsa a base di ceci e sesamo condita con olio, aglio, limone e cumino.	○
F. ZIGHINÌ - ETIOPIA	È un piatto di carne e verdura servite su un pane sottile chiamato *injera*.	○

5.2 • *Rispondi alle domande e parla con un compagno delle abitudini legate al cibo in Italia e nel tuo paese.*

Nel tuo paese...

Che cosa si mangia e beve prima di iniziare un pasto?

Si mangia la pasta?

C'è un ordine dei piatti come in Italia?

Ci sono degli abbinamenti particolari da rispettare?

C'è un piatto o una bevanda che si consuma solo in un momento speciale?

(A Natale, a Capodanno, a un matrimonio...) Come si chiama? Puoi descriverla?

UNITÀ 6 — ORARI FLESSIBILI

parte 1 **Per cominciare**

1.1 • *Scrivi l'orario sotto gli orologi come nell'esempio.*

a.

Le nove e cinquantacinque
Le dieci meno cinque

b. _____
_____

c. _____
_____

d. _____
_____

e. _____
_____

f. _____
_____

1.2 • *Abbina le domande alle risposte, come nell'esempio.*

Scusi, sa l'ora?

A che ora ci vediamo?

Che ore sono?

A che ora esci dal lavoro?

È molto che aspetti?

Finisco alle sei.

Solo da cinque minuti.

Mezzogiorno meno cinque.

Alle sette e mezza, davanti alla stazione.

Sì, sono le otto e un quarto.

ALMA Edizioni • **Unità 6 | ORARI FLESSIBILI**   47

ORARI FLESSIBILI

IN ITALIA A VOLTE DIAMO UN ORARIO FLESSIBILE PER UN APPUNTAMENTO CON UN AMICO.

INOLTRE SPESSO ACCETTIAMO CINQUE O DIECI MINUTI DI RITARDO.

VA BE'. SCUSA SE MI SONO ARRABBIATO.

NON C'È PROBLEMA!

SAI, NEL MIO PAESE È MOLTO DIVERSO. SE ARRIVI IN RITARDO DI CINQUE MINUTI...

SÌ, SÌ, SÌ... MA ADESSO DOBBIAMO ANDARE. IL CINEMA NON ASPETTA NESSUNO.

FINE!

parte 3 • Capire il fumetto

3.1 • *Vero o falso? Rileggi la storia e segna se queste affermazioni sono vere o false.*

	V	F
1. Val e Piero sono a Bologna.	☐	☐
2. Piero aspetta Val davanti al cinema.	☐	☐
3. Piero scrive un SMS a Val e gli dà appuntamento alle 19:40.	☐	☐
4. Val arriva all'appuntamento in anticipo.	☐	☐
5. Secondo Val, Piero deve arrivare prima delle 19:05.	☐	☐
6. Piero arriva in ritardo di un'ora.	☐	☐
7. Val si arrabbia con Piero per il ritardo.	☐	☐
8. In Italia è normale essere molto puntuali con gli amici.	☐	☐
9. Val viene da un paese dove è normale fare un po' di ritardo.	☐	☐
10. I due amici vanno al cinema di corsa.	☐	☐

3.2 • *Abbina l'illustrazione all'aggettivo corrispondente, come nell'esempio.*

~~arrabbiato~~ | seccato | tranquillo | confuso

arrabbiato

3.3 • *Scritto* o *parlato*? Guarda i testi e completa la regola.

Nel linguaggio _____ usiamo di preferenza i numeri da 1 a dodici e in caso di dubbio usiamo le espressioni "di mattina" e "di sera".

Nel linguaggio _____ di solito scriviamo gli orari usando i numeri da 0 a 24. Seguono questa regola anche gli annunci degli orari nelle stazioni e negli aeroporti.

3.4 • *Oggi Piero ha molti impegni. Completa le frasi con l'orario (in lettere) dei suoi appuntamenti. Fai attenzione alla differenza fra scritto e parlato, come nell'esempio..*

	Venerdì 5 ottobre
🕐 h 9:00	**Arriva Val - Stazione**
🕐 h 10:00	**Lezione all'università**
🕐 h 11:30	**Martina - Davanti alla biblioteca**
🕐 h 14:00	**Visita oculistica**
🕐 h 21:00	**Cena da Emilio**
🕐 h 23:30	**Claudia - Davanti al teatro**

Scritto

Alle ___nove___ devo andare a prendere Val in stazione.

Alle _____ ho una visita oculistica.

Alle _____ ho appuntamento con Claudia davanti al teatro.

Parlato

Alle _____ ho una lezione all'università.

Alle _____ ho appuntamento con Martina davanti alla biblioteca.

Alle _____ sono a cena a casa di Emilio.

parte 4 Approfondiamo: lingua e cultura

4.1 • *Sapevi che in alcune università in Italia è permesso un quarto d'ora di ritardo? Si chiama il "quarto d'ora accademico". Completa il testo con le parole mancanti e scopri come funziona.*

anticipo | dopo | in ritardo | mattina | puntuali | tardi

Se andate all'università e guardate l'orario delle lezioni in bacheca potete vedere che dalle 9:30 di_____ alle 11:00 è prevista la lezione di letteratura, ma se andate nell'aula in _____ alle 9:25, o _____ alle 9:30, vedrete che gli studenti stanno ancora cercando un posto per sedersi, tutti stanno chiacchierando tranquillamente, e che il professore non ha ancora iniziato la lezione. Ma alle 9:45, esattamente dopo un quarto d'ora, il professore inizierà la lezione. Gli studenti che arrivano oltre il quarto d'ora accademico sono considerati _____. Il professore potrebbe arrabbiarsi, potrebbe dire che non si arriva _____ a lezione. Questo è il quarto d'ora accademico. Se arrivate fino a quindici minuti _____ l'inizio, siete giustificati, e non conta come un ritardo.

4.2 • *Dentro alla testa di un ritardatario. Prova a immaginare che cosa pensa Piero prima di andare all'appuntamento con Val alle 19.30.*

4.3 • *Guarda questi personaggi e collegali ai fumetti con le scuse per il ritardo.*

---

parte 5 **Culture a confronto**

5.1 • *Prova a fare una classifica: secondo te, qual è il ritardo più grave? Poi confronta le tue risposte con un compagno.*

+ grave	1.	matrimonio
	2.	lezione universitaria
	3.	colloquio di lavoro
	4.	cena a casa di amici
	5.	appuntamento medico
	6.	appuntamento romantico
	7.	spettacolo di teatro
- grave	8.	concerto

5.2 • *Rispondi alle domande e parla con un compagno delle abitudini legate alla gestione del tempo in Italia e nel tuo paese.*

Nel tuo paese...

È accettabile fare dieci minuti di ritardo?

Gli orari per gli appuntamenti sono flessibili?

Gli spettacoli al cinema e a teatro iniziano in orario?

È accettabile arrivare in anticipo?

Se una persona è sempre in ritardo quali sono le conseguenze?

UNITÀ 7 – COMMENTI INDISCRETI

parte 1 Per cominciare

1.1 • *Abbina ai personaggi le descrizioni, come nell'esempio.*

una persona molto alta ⑥
una persona molto bassa ◯
una persona magra ◯

una persona grassa ◯
una persona molto atletica ◯
una persona di corporatura media ◯

1.2 • *Come descrivi queste persone?*

COMMENTI INDISCRETI

parte 3   Capire il fumetto

3.1 • *Riordina il riassunto della storia.*

    a. Il nonno di Piero nota subito che Val è un po' ingrassato e lo dice ad alta voce.

    b. Val si sente un po' insicuro perché il nonno di Piero giudica il suo aspetto fisico.

    c. Val e Piero sono a casa e aspettano una visita del nonno di Piero.

    d. Il nonno consola Val e gli dice che è un bravo ragazzo, però...

1. ___ / **2.** ___ / **3.** ___ / **4.** ___

3.2 • *Completa le frasi.*

Val è imbarazzato perché...

_____

_____

_____

Val è triste perché...

_____

_____

_____

3.3 • *Completa le frasi nei fumetti con l'espressione corretta.*

in forma | **in carne**

4.1 • *Leggi le parole di Piero e rispondi alla domanda.*

PER ALCUNI ITALIANI È NORMALE COMMENTARE L'ASPETTO FISICO DEGLI ALTRI SE IL RAPPORTO È INFORMALE. QUESTO È VERO IN PARTICOLARE SE LA PERSONA CHE CI PARLA È MOLTO PIÙ GRANDE DI NOI. A UN ANZIANO, INFATTI, È PERMESSO ESSERE UN PO' INDISCRETO, SOPRATTUTTO SE LE SUE INTENZIONI SONO BUONE.

Perché il nonno di Piero commenta l'aspetto fisico di Val?
- ◯ 1. Perché è antipatico.
- ◯ 2. Perché è molto magro.
- ◯ 3. Perché si interessa a lui.

4.2 • *Guarda di nuovo queste persone e abbina queste espressioni qui sotto al loro aspetto fisico, come nell'esempio.*

in forma | **slanciato/a** | **in carne** | ~~normale~~ | **normale** | **non molto alto/a**

_____   _____   _____   *normale*   _____   _____

4.3 • *Guarda queste persone. Aiuta i bambini a trovare i loro genitori e completa la descrizione, come nell'esempio. Puoi usare le parole e le espressioni della lista del punto* 4.2.

② e **ⓓ** sono molto alte e slanciate.

____ e ____ sono _____

____ e ____ sono _____

____ e ____ sono _____

____ e ____ sono _____

parte 5 Culture a confronto

5.1 • *Completa il testo con le parole mancanti.*

commenti | **delicato** | **magro** | **peso** | **signora** | **tuo**

Il _____ di una persona è un argomento molto _____ negli Stati Uniti. Non in Italia. "Hai visto Francesca? È così magra! E Pietro? È così grasso!". È molto facile sentire _____ così da parte di amici, parenti e a volte anche estranei. Una volta mentre camminavo per la strada con il mio cane una _____ mi ha fermata e mi ha detto: "Devi mangiare di più. Sei troppo magra! Anche il tuo cane è troppo _____. Devi mangiare di più e devi dare da mangiare al _____ cane!".

adattato da *survivinginitaly.com*

5.2 • *Leggi l'articolo e trova il sinonimo più adatto per ogni parola sottolineata, come nell'esempio.*

Le pubblicità con corpi irreali vietate nella metro di Londra.

La <u>polemica</u> nasce dopo che l'azienda Protein World ha riempito i tunnel della metropolitana di Londra con un <u>manifesto</u> che rappresenta una modella molto magra in bikini per pubblicizzare un prodotto <u>dimagrante</u>. "Come padre di due ragazze adolescenti sono estremamente preoccupato per questo tipo di pubblicità". Sadiq Khan, il sindaco di Londra ora vuole <u>vietare</u> le pubblicità con corpi troppo magri dalla rete dei trasporti pubblici della città. "Nessuno deve sentirsi <u>sotto pressione</u> mentre viaggia in metro o sul bus – ha detto Khan – per colpa di <u>rappresentazioni</u> impossibili del corpo femminile, per questo voglio mandare un messaggio molto chiaro all'<u>industria pubblicitaria</u>". La nuova politica influenzerà circa 12 mila pubblicità all'anno, in metro ma anche in stazioni ferroviarie e fermate del bus.

adattato da huffingtonpost.it

1. polemica	☒ discussione	☐ politica
2. manifesto	☐ poster	☐ programma
3. dimagrante	☐ per diventare più magri	☐ per diventare più abbronzati
4. vietare	☐ limitare	☐ proibire
5. sotto pressione	☐ in imbarazzo	☐ arrabbiato
6. rappresentazioni	☐ immagini	☐ idee
7. industria pubblicitaria	☐ le aziende che si occupano di pubblicità	☐ pubblicità delle aziende di bikini

Sei d'accordo con questa idea? È vero che la pubblicità dà delle rappresentazioni impossibili del corpo femminile? Parlane con un compagno.

5.3 • *Rispondi alle domande e parla con un compagno dei commenti sull'aspetto fisico in Italia e nel tuo paese.*

Nel tuo paese...

È accettabile fare commenti sul peso di una persona che non si conosce bene?

Si usano parole gentili per descrivere l'aspetto fisico o si usano "grasso", "basso"?

Si può dire a un amico che ha delle brutte abitudini alimentari?

Si può commentare la vita sentimentale di un amico / conoscente?

Che cosa pensi di questa famosa frase di Sophia Loren?

"Preferisco mangiare pasta e bere vino piuttosto che essere una taglia zero".

Sophia Loren

parte 1 Per cominciare

1.1 • *Il prossimo episodio è ambientato in una bellissima città di mare. Qui sotto puoi vedere alcune foto. Sai come si chiama questa città?*

○ a. Ancona   ○ b. Trieste   ○ c. Genova   ○ d. Amalfi

1.2 • *Se non conosci la città dell'esercizio* **1.1**, *completa lo schema. Potrai leggere il nome della città nella colonna evidenziata.*

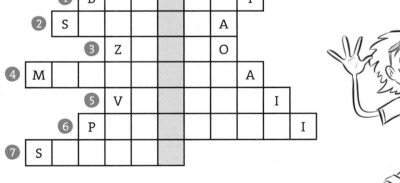

1. Si usano per chiudere la camicia.
2. Ripara il collo dal freddo.
3. Si usa anche per portare i libri a scuola.
4. Può avere le maniche lunghe o corte.
5. I pantaloni, la camicia, la giacca: sono...
6. Coprono le gambe e possono essere lunghi o corti.
7. Si mettono ai piedi.

COME STO?

parte 3 — Capire il fumetto

3.1 • *Completa il riassunto della storia con le parole mancanti.*

borsa | **camicia** | **calzini** | **pantaloni** | **scarpe**

Val e Piero sono a Trieste. Mentre stanno per uscire Piero dà a Val una _____ a righe, una _____ di pelle e dei _____ lunghi. Poi chiede a Val di cambiarsi le _____ e i _____ .

3.2 • *Perché Piero vuole cambiare i vestiti di Val? Scegli la risposta corretta.*

1. Piero dà una camicia a Val perché:
   - ◯ a. è più comoda.
   - ◯ b. è più calda.
   - ◯ c. è più elegante.

2. I pantaloni non vanno bene perché sono:
   - ◯ a. corti e a quadretti: non vanno bene con la camicia.
   - ◯ b. lunghi e con le tasche: non sono adatti alla primavera.
   - ◯ c. corti e stretti: Val potrebbe prendere freddo.

3. La borsa di pelle è meglio dello zaino perché:
   - ◯ a. è più spaziosa.
   - ◯ b. è più elegante.
   - ◯ c. è più comoda.

4. Secondo Piero è importante mettere la canottiera...
   - ◯ a. per non prendere freddo.
   - ◯ b. per non mostrare la pancia.
   - ◯ c. per non avere caldo.

3.3 • *Scrivi il nome dei vestiti che porta Val prima e dopo la trasformazione.*

pantaloni lunghi | **borsa di pelle** | **camicia** | **infradito** | **maglietta** | **occhiali da sole** | **zaino** | **pantaloni corti**

4.1 • *Conosci i nomi dei vestiti? Scrivi il nome sotto a ogni immagine. Attenzione: c'è una parola in più!*

cappotto | **cravatta** | **felpa** | **giacca** | **gonna** |
guanti | **mutande** | **reggiseno** | **sciarpa** | **vestito**

a.

b.

c.

_____ _____ _____

d.

e.

f.

_____ _____ _____

g.

h.

i.

_____ _____ _____

4.2 • *In ogni riga c'è un vestito diverso dagli altri. Trovalo e scrivi la lettera corrispondente nella griglia sotto. Potrai leggere un'espressione idiomatica sui vestiti.*

reggiseno A	collant E	cravatta I	gonna H
mutande I	camicia P	calzini N	canottiera M
guanti A	cappotto E	sciarpa R	pantaloncini O
maglione R	maglia S	pantaloni L	felpa T
pantaloni T	cappotto L	gonna R	pantaloncini S

Vestirsi a strati = Vestirsi a | C | | | | | | A |

4.3 • *Val e Piero sono andati a fare shopping. Confronta le due vignette e indica i due capi di abbigliamento che hanno comprato.*

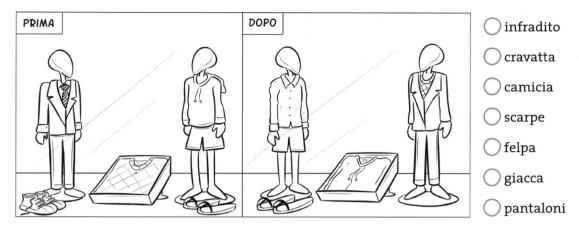

- ⬭ infradito
- ⬭ cravatta
- ⬭ camicia
- ⬭ scarpe
- ⬭ felpa
- ⬭ giacca
- ⬭ pantaloni

parte 5   Culture a confronto

5.1 • *Leggi il testo e abbina le parole* <u>sottolineate</u> *alle foto o alle definizioni.*

LA MAGLIA DELLA SALUTE

Per uno straniero, l'aria non è una cosa pericolosa se escludiamo tornadi e <u>uragani</u>. Una bella <u>brezza</u> di primavera. Il vento che soffia su un <u>campo di grano</u>. I finestrini della macchina aperti mentre si guida in <u>campagna</u>. Per gli italiani in questo non c'è niente di romantico. Secondo una credenza popolare <u>il colpo d'aria</u> è la causa numero uno di tutte le malattie e bisogna evitarlo <u>a tutti i costi</u>. Se dite a un amico italiano che avete male al collo o allo stomaco, <u>la colpa</u> sarà sempre del tremendo colpo d'aria. In inverno è terribile. Il primo anno che vivevo a Firenze ho preso l'influenza. La signora che viveva al terzo piano nel mio palazzo mi aveva avvisato: non aveva visto nessuna canottiera fra i <u>vestiti stesi</u> fuori e senza la canottiera ci si ammala. Io mi chiedevo: perché la mia vicina guarda la mia <u>biancheria intima</u>? Per me questo era strano, ma io sono straniera. Invece tutti i miei amici italiani erano d'accordo con la signora: in inverno bisogna mettere la canottiera, la maglia della salute.

adattato da Linda Falcone, *Italians dance and I'm a wallflower*

a.

b.

c.

_____   _____   _____

- ⓓ _____ - vento leggero
- ⓔ _____ - mutande, calzini, canottiera, reggiseno.
- ⓕ _____ - in tutti i modi.
- ⓖ _____ - raffreddore causato da un cambio di temperatura.
- ⓗ _____ - causa, responsabilità.
- ⓘ _____ - fuori dalla città

5.2 • *Associa le foto alla descrizione, come nell'esempio.*

KLOMP

KIMONO

GELE

a. ① Gli zoccoli di legno sono le scarpe tradizionali dell'Olanda. Oggi si usano principalmente come scarpe per lavorare in giardino e come souvenir per i turisti.

b. ◯ Il colbacco è un cappello ricoperto di pelliccia che si usa in Russia. È parte della divisa invernale dei soldati dell'esercito russo.

c. ◯ Questo turbante si usa in molte parti dell'Africa e può avere significati diversi che dipendono dalla forma, dal colore e dalla religione di chi li porta.

d. ◯ Le babbucce sono delle scarpe a punta che si usano in molte parti del nord Africa e del Medio Oriente.

e. ◯ Questo vestito tradizionale si usa in Norvegia in particolare durante il Giorno della Costituzione, una festa nazionale che si tiene il 17 maggio.

f. ◯ Questo vestito tradizionale giapponese è lungo fino alle caviglie e ci sono modelli da uomo e da donna.

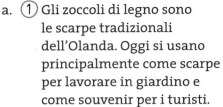
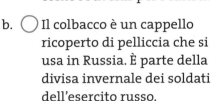
BUNAD

BABOUCHE

USHANKA

5.3 • *Rispondi alle domande e parla con un compagno delle differenze fra l'abbigliamento in Italia e nel tuo paese.*

Nel tuo paese...
C'è un vestito tradizionale?
Ci sono vestiti che hanno un significato particolare (politico, sociale...)?
Ci sono vestiti che passano fra le generazioni di una famiglia, per esempio di madre in figlia?

UNITÀ 9 – MA PIOVE!

parte 1

Per cominciare

1.1 • *Il prossimo episodio è ambientato a Milano. Che cosa sai di questa città? Abbina le risposte a ogni domanda, ma fai attenzione: tre risposte sono riferite ad altre città.*

"L'ultima cena" di Leonardo da Vinci | l'Inter | la galleria degli Uffizi | il duomo | la Juventus | il risotto allo zafferano | la pinacoteca di Brera | i tortellini | la moda

un'opera d'arte famosa
_____

il monumento simbolo
della città
_____

un piatto tipico
_____

una squadra di calcio
_____

per cosa è famosa Milano
_____

il museo più famoso
_____

1.2 • *Leggi la nuvola con le parole della storia e prova a immaginare insieme a un compagno che cosa succede in questo episodio.*

stare
Piero
pioggia chiuso
Val visitare
stadio shopping
ombrello
teatro museo parco
piove uscire freddo
nuvola Milano
albergo
fuori
opera

MA PIOVE!

VAL E PIERO SONO A MILANO.

CHE MERAVIGLIA! TRE GIORNI A MILANO, FAREMO TANTE COSE, VERO?

CERTO, CERTO...

ALLORA, SABATO SERA ANDIAMO A VEDERE L'OPERA...

TEATRO ALLA SCALA

E DOMENICA POMERIGGIO C'È LA PARTITA DEL MILAN ALLO STADIO SAN SIRO, CHE BELLO!

SAN SIRO

OGGI POSSIAMO ANDARE A VEDERE IL DUOMO, TI VA?

TSK!

DUOMO

NON TI VA? ALLORA FACCIAMO UNA BELLA PASSEGGIATA SUI NAVIGLI?

MA PIOVE!

parte 3 Capire il fumetto

3.1 • *Inserisci le parole mancanti e riordina il fumetto.*

pioggia leggera | **meraviglia** | **pioverà** | **duomo** | **parco** | **pinacoteca**

1. ◯; 2. ◯; 3. ◯; 4. ◯; 5. ◯; 6. ◯

3.2 • *Scegli la risposta corretta.*

1. Val vuole uscire perché
   a. ☐ piove.
   b. ☐ non conosce Milano.

2. Piero è arrabbiato perché
   a. ☐ Milano è brutta.
   b. ☐ piove.

3. Val vuole
   a. ☐ uscire e fare tante cose.
   b. ☐ stare in albergo e riposarsi.

4. Val
   a. ☐ si arrabbia con Piero.
   b. ☐ non capisce perché Piero è arrabbiato.

5. Quando escono, Piero
   a. ☐ ha vestiti molto pesanti.
   b. ☐ dimentica l'ombrello.

3.3 • *Completa l'agenda con tutte le cose che Piero e Val hanno deciso di fare questo fine settimana. Se non hanno deciso il giorno, scegli tu per loro!*

Venerdì	Sabato	Domenica
Mattina	*Mattina*	*Mattina*
Pomeriggio	*Pomeriggio*	*Pomeriggio*
Sera	*Sera*	*Sera*

3.4 • *Guarda la vignetta qui sotto e completa la regola.*

> VOI ITALIANI DOVETE IMPARARE CHE UNA GIORNATA PUÒ ESSERE BELLA ANCHE SE <u>PIOVE</u>! NON <u>BISOGNA</u> CHIUDERSI IN CASA, <u>BASTA</u> APRIRE L'OMBRELLO!

I verbi impersonali non hanno un soggetto e si usano sempre alla terza persona singolare. Di solito sono verbi che descrivono il tempo come *piovere*, *nevicare*, *grandinare*, ma anche altri verbi come *bisognare* e *convenire* sono impersonali. Alcuni verbi come *bastare* e *capitare* possono essere usati con un soggetto o con la forma impersonale.

Ora completa le frasi con il verbo mancante.

nevica | basta | bisogna | conviene | capita | piove

1. Non ti dimenticare l'ombrello, _____ .
2. Hai visto fuori dalla finestra? _____ ! Andiamo a fare un pupazzo di neve!
3. _____ fare in fretta, il treno parte fra cinque minuti!
4. Non _____ prendere la macchina per andare in centro, è impossibile trovare parcheggio.
5. _____ di dimenticarsi l'ombrello. Tieni, prendi il mio.
6. Non è difficile cuocere la pasta al dente. _____ controllare la cottura ogni tanto.

parte 4 Approfondiamo: lingua e cultura

4.1 • *Lavora con un compagno. Siete in Italia per tre giorni, scegliete una città e programmate la vostra visita in base al tempo come dei veri italiani. Cercate su internet informazioni su cosa vedere e dove andare. Fate le attività all'aperto nei giorni di sole e quelle al coperto quando piove.*

Venerdì	Sabato	Domenica
Mattina	Mattina	Mattina
Pomeriggio	Pomeriggio	Pomeriggio
Sera	Sera	Sera

4.2 • *Abbina queste espressioni sottolineate sul tempo alle foto corrispondenti.*

1. ◯ C'è una <u>nebbia che si taglia con il coltello</u>, non è il caso di uscire in macchina.
2. ◯ Non puoi uscire senza ombrello! Fuori c'è il <u>diluvio universale</u>!
3. ◯ Che caldo! <u>C'è un sole che spacca le pietre</u>!
4. ◯ Copriti prima di uscire, fuori <u>fa un freddo cane</u>.
5. ◯ Io non vado al mare con questo <u>tempo da lupi</u>.
6. ◯ Secondo me domani pioverà, <u>cielo a pecorelle, pioggia a catinelle</u>.

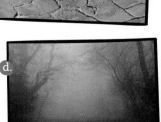

5.1 • *Alcune città del mondo hanno delle condizioni atmosfriche veramente estreme. Leggi le soluzioni che sono state trovate in queste città e sottolinea la parola corretta fra le alternative date.*

La città di Montreal ha **inverni lunghi / corti** e molto **caldi / freddi**. La città ha costruito il Réso: una rete di collegamenti che crea una città **sotterranea / sottomarina**, dove passare il tempo durante i lunghi **anni / mesi** invernali.

Con 7.000 abitanti per km² (Roma ne ha 800), Hong Kong è una delle città più **scarsamente / densamente** popolate del pianeta.
Di conseguenza è diventata la città più **verticale / orizzontale** del mondo grazie ai suoi **bassissimi / altissimi** grattacieli.

La città di Las Vegas si trova nel deserto del Mojave in un clima estremamente **umido / secco**.
La città ha costruito un collegamento con il fiume Colorado e ci sono delle regole per **risparmiare / sprecare** l'acqua.

5.2 • *Rispondi alle domande e parla con un compagno delle abitudini legate al tempo atmosferico in Italia e nel tuo paese.*

Nel tuo paese...
È normale uscire con l'ombrello?
Come sono le temperature nel corso dell'anno?
È normale che le persone cambino i loro programmi se c'è brutto tempo?
Quali sono le condizioni atmosferiche più difficili che si possono trovare?

UNITÀ 10 – BACI E ABBRACCI

1.1 • *Associa le parole alle immagini, come nell'esempio. Le risposte corrette ti daranno un saluto che si usa in modo ironico.*

1. pacca sulla spalla   Ⓒ

2. abbraccio   ◯

3. bacio sulla guancia   ◯

4. stretta di mano   ◯

5. saluto   ◯

6. bacio sulla bocca   ◯

BACI E ABBRACI

IO MI SIEDO VICINO A QUESTO RAGAZZO, COSÌ LO CONOSCO MEGLIO...

ALLORA, VAL, TI PIACE VIVERE IN ITALIA?

ATTENTO, ZIO! VAL NON È ABITUATO A TUTTI QUESTI ABBRACCI!

NEL TUO PAESE LE PERSONE NON SI ABBRACCIANO?

EHM... NON COSÌ TANTO.

È ARRIVATA LA NONNA!

parte 3 — Capire il fumetto

3.1 • *Associa i riassunti alle vignette, come nell'esempio.*

1. Val bacia per errore la nonna di Piero sulla bocca.

2. Una domenica Piero accompagna Val a casa dei suoi genitori, dove sono invitati a pranzo.

3. Piero spiega che l'ordine dei baci è prima sulla guancia destra e poi su quella sinistra.

4. Val si sente molto in imbarazzo.

5. Piero avvisa suo zio che il suo amico non è abituato a tutto questo contatto fisico.

6. Piero ha una famiglia molto accogliente e tutti si avvicinano a Val per abbracciarlo e baciarlo.

1. (b); 2. ◯; 3. ◯; 4. ◯; 5. ◯; 6. ◯

3.2 • *Rileggi la storia, segna se queste affermazioni sono vere o false e ricopia la lettera corrispondente nello schema sotto, come nell'esempio.*

		V	F
1.	Val è invitato a casa degli zii di Piero.	I	Ⓕ
2.	Il papà di Piero si chiama Roberto.	N	R
3.	Piero ha un fratello minore.	A	N
4.	Val e Piero si siedono in cucina.	M	T
5.	Lo zio di Piero è innamorato di Val.	M	E
6.	Val è contento di tutte queste attenzioni.	O	L
7.	Piero spiega che in Italia è normale abbracciarsi in situazioni informali.	L	R
8.	Val è innamorato della nonna di Piero.	A	O

Marco è il F _ _ _ _ _ _ **di Piero**

3.3 • *In questo episodio abbiamo conosciuto alcuni parenti di Piero. Ti ricordi i loro nomi? Scrivi sotto ogni personaggio la relazione di parentela che ha con Piero, come nell'esempio.*

~~fratello~~ | **mamma** | **papà** | **cugina** | **zio** | **nonna**

Marco
fratello

Roberto
_____

Anna
_____

Laura
_____

Franco
_____

Maria
_____

3.4 • *Osserva il fumetto e completa la griglia.*

LUI È FRANCO, MIO PADRE,
LEI È MIA CUGINA LAURA,
MARCO, MIO FRATELLO,
MIO ZIO ROBERTO...

Lui è _____ fratello. ♂
Lei è _____ cugina. ♀

ATTENZIONE!

Solo i nomi dei membri della famiglia al singolare **non** hanno l'articolo.*

| mio fratello | | **il** mio libro |
| **i** miei fratelli | | **i** miei libri |

* Fa eccezione il possessivo *loro* che vuole l'articolo al singolare e al plurale

	LIBRO	BORSA	LIBRI	BORSE
io	il mio libro			
tu		la tua borsa		
lui/lei			i suoi libri	
noi	il nostro libro			le nostre borse
voi		la vostra borsa		
loro				

parte 4 · Approfondiamo: lingua e cultura

4.1 • *Guarda di nuovo la lezione del professor Piero e immagina questi saluti nella situazione in cui era Val. Segna se sono appropriati (✓) o non appropriati (✗), come nell'esempio. Confronta le tue ipotesi con un compagno.*

1. Tre baci

2. Bacio rumoroso

3. Bacio appassionato

4. Baciamano

5. Abbraccio

6. Pacca sulla spalla

7. Bacio sulla guancia

PAPÀ O BABBO?

In italiano ci sono due modi di dire "padre" in modo affettuoso.
Il più antico è sicuramente *babbo*, che oggi è rimasto (alternato a
papà) solo in Sardegna e in alcune zone del centro Italia (Toscana,
Umbria, Marche, Romagna e in un parte del Lazio). Il resto d'Italia usa
il prestito francese *papà*, entrato in italiano nel XVII secolo.
Tutti gli italiani però, indipendentemente da come chiamano il
proprio padre, usano le espressioni *festa del papà* e *Babbo Natale*.

■ babbo
□ papà

---

parte 5 ## Culture a confronto

5.1 • *Saluti dal mondo. Associa le immagini alla descrizione, come nell'esempio.*

○ 1. In India si uniscono le mani palmo contro palmo all'altezza del cuore e si dice "Namaste".
○ 2. In Giappone si saluta facendo un inchino.
○ 3. Nelle Filippine si salutano gli anziani prendendo loro la mano e portandola alla fronte, in segno di rispetto.
ⓒ 4. I guerrieri Masai del Kenya fanno una danza di saluto facendo salti molto alti.
○ 5. In Oman spesso gli uomini si salutano sfiorandosi con la punta del naso.

5.2 • *Rispondi alle domande e parla con un compagno delle differenze fra i saluti in Italia e nel tuo paese.*

Nel tuo paese...

Come si salutano le persone?   Come si salutano due estranei?
Ci si bacia e abbraccia?   Qual è la parola che si usa per dire "piacere"?

UNITÀ 11 – LA SPAGHETTATA DI MEZZANOTTE

parte 1 Per cominciare

1.1 • *Quanti tipi di pasta conosci? Scrivi il nome sotto a ogni foto come nell'esempio, ma attenzione: ce n'è uno in più.*

farfalle | **fusilli** | ~~**gnocchi**~~ | **tortellini** | **pennette** |
rigatoni | **ruote** | **spaghetti** | **conchiglie** | **tagliatelle**

1.

gnocchi
_____

2.
_____

3.
_____

4.
_____

5.
_____

6.
_____

7.
_____

8.
_____

9.
_____

Spaghettata di mezzanotte: *secondo te, che cosa significa questa espressione?*

a. ☐ Un tipo di pasta simile agli spaghetti ma di colore nero, che si mangia con il parmigiano in scaglie in modo da simboleggiare un cielo stellato.

b. ☐ Un piatto di pasta veloce da preparare (di solito condita con aglio, olio e peperoncino), che si prepara quando si rientra tardi da un'uscita.

c. ☐ Una famosa festa dove due squadre avversarie si lanciano degli spaghetti che si celebra ogni anno a Mezzanotte, una piccola località in provincia di Urbino.

Ora leggi la storia e verifica la tua ipotesi.

LA SPAGHETTATA DI MEZZANOTTE

parte 3 | Capire il fumetto

3.1 • *Rileggi la storia e segna se queste affermazioni sono vere o false.*

		V	F
1.	Val e Piero sono stati al cinema.	☐	☐
2.	Piero chiede a Val di cucinare per tutti.	☐	☐
3.	Val decide di preparare la sua specialità.	☐	☐
4.	Gli amici sono molto curiosi di provare la ricetta di Val.	☐	☐
5.	Val mette in pentola diversi tipi di pasta.	☐	☐
6.	Val non aggiunge il sale al momento giusto.	☐	☐
7.	Gli amici pensano che la pasta "alla Val" sia appetitosa.	☐	☐
8.	Un ragazzo sviene perché ha mangiato troppo.	☐	☐

3.2 • *Rileggi la storia e completa la ricetta del piatto che ha preparato Val.*

INGREDIENTI PER 5 PERSONE:
– Pasta di diversi tipi: spaghetti, _____,
_____ in abbondanza.
– Un barattolo di _____ .
– Quattro foglie di _____ .
– Un pizzico di _____ .
– Un vasetto di _____ .
– Abbondante _____ grattugiato.
– _____ q. b.

PREPARAZIONE:
– Mettere _____ sul _____ .
– Buttare la pasta nell'acqua.
– Preparare il sugo con pomodoro e erbe
aromatiche come _____ e
_____ .
– Aggiungere un vasetto di _____
e grattugiare nella padella del
_____ .
– Completare con un _____
intero.
– Alla fine aggiungere sale q. b.

3.3 • *Rileggi la lezione del professor Piero e correggi gli errori che ha fatto Val nella preparazione come nell'esempio.*

1. Val ha messo sia il basilico che l'origano nel sugo, invece doveva
   ____mettere uno o l'altro____ .

2. Val ha buttato nell'acqua per la pasta penne, spaghetti e farfalle,
   invece doveva _____
   _____ .

3. Val ha aggiunto il sale solo quando la pasta era già nella pentola, invece doveva _____
   _____ .

4. Val ha preparato il sugo con pesto e pomodoro, invece doveva _____
   _____

Q. B. SIGNIFICA 'QUANTO BASTA'

3.4 • *Guarda la vignetta e completa la regola con **prima** e **dopo**.*

E PER FINIRE: DEL BUON PEPERONCINO!

Quando l'aggettivo **buono** si trova _____ del nome si modificano in base alla parola che viene _____ .

	SINGOLARE	PLURALE
nome con vocale	**buon** amico	**buoni** amici
nome con s + consonante, y, z, gn, ps	**buono** studente	**buoni** studenti
nome con consonante	**buon** libro	**buoni** libri

*Ora completa le frasi con l'aggettivo **buono**.*

1. Ha preparato un _____ piatto di spaghetti.
2. Sono soddisfatta della mia classe, sono proprio dei _____ studenti.
3. Devi avere un _____ motivo per svegliarti così presto.
4. Tanti auguri amore, _____ compleanno!
5. Non gli mancano i soldi, ha un _____ stipendio.

parte 4 Approfondiamo: lingua e cultura

4.1 • *Metti nella giusta sequenza le regole per cucinare bene la pasta.*

- ◯ a. Quando l'acqua bolle, mettere del sale grosso.
- ◯ b. Assaggiare la pasta per sapere se è cotta.
- ◯ c. Quando l'acqua ricomincia a bollire, buttare la pasta.
- ◯ d. Scolare la pasta al dente.
- ①　e. Mettere una pentola di acqua sul fuoco.

4.2 • *Completa i consigli di Piero con le parole mancanti.*

Parmigiano | **spaghetti** | **pomodoro** | **soffritto** | **olio**

1. La base del sugo è il _____ . Si fa con aglio, cipolla o sedano, carota a seconda del piatto che si deve preparare.
2. La salsa di _____ ha bisogno di tempi di cottura molto lunghi.
3. Usa solo Grana Padano o _____ Reggiano, niente imitazioni!
4. L'_____ di oliva deve essere extra-vergine.
5. Non spezzare gli _____ per nessun motivo!

4.3 • *Alcuni condimenti richiedono un tipo di pasta specifico. Fai gli abbinamenti, ma attenzione: c'è un sugo in più.*

amatriciana | **cacio e pepe** | **pesto** | **ragù** | **vongole**

trofie al _____

spaghetti alle _____

tonnarelli _____

bucatini all' _____

4.4 • *Finalmente Piero e Val hanno mangiato un buon piatto di pasta! Guarda cosa succede dopo e rispondi alla domanda.*

Cosa significa "fare la scarpetta"?

a. ☐ Decidere chi deve sparecchiare e lavare i piatti.

b. ☐ Capire chi ha mangiato più pasta.

c. ☐ Raccogliere il sugo rimasto sul piatto con un pezzo di pane.

4.5 • *Leggi il testo e scopri l'origine dell'espressione "fare la scarpetta".*

Perché si dice "fare la scarpetta" quando mangiamo?

Cominciamo con il dire che cosa vuol dire esattamente "fare la scarpetta": è l'azione di raccogliere il sugo rimasto nel piatto con un pezzetto di pane infilzato nella forchetta, o più comunemente tenuto tra le dita.

Anche se il significato era già conosciuto a molti di noi, la derivazione della frase è invece molto incerta. Si pensa sia lo stesso nome di un particolare formato di pasta, che ricordava proprio una scarpa e consentiva di raccogliere il sugo avanzato nel piatto.

Ci sarebbe anche una seconda teoria. Raccogliere il sugo dal piatto era considerato un comportamento poco elegante, tipico delle persone più povere che, siccome erano più affamate, non lasciavano nulla nel piatto. Per definire queste persone si usava la parola "scarpetta", intesa proprio come calzatura semplice, leggera e di scarsa qualità.

E tu hai mai fatto la "scarpetta" nel piatto? D'ora in poi, quando la farai, sarà ancora più piacevole perché sai da dove arriva l'espressione!

adattato da *dimmi-perche.it*

Scegli la foto più appropriata per accompagnare questo articolo.

4.6 • *Lo sapevi che a Parma c'è il museo della pasta? Questi sono tre degli oggetti esposti. Abbina ogni oggetto al testo che lo descrive.*

○ 1. Questa impastatrice manuale del XIX secolo serviva a mescolare acqua, farina e sale. Si azionava con una manovella messa sul lato destro.

○ 2. Questo attrezzo, tipico dell'Italia centrale, si chiama "chitarra", come lo strumento musicale: serve per tagliare gli spaghetti.

○ 3. Questo piccolo utensile è stato descritto per la prima volta nel 1547. Serve per tagliare la pasta dandogli una forma ondulata, si chiama *rotella* o *speronella*.

Archivio Musei del Cibo della provincia di Parma,
Museo della Pasta, Collecchio (PR)

LASAGNE, PASTICCIO, VINCISGRASSI

Le lasagne sono il piatto di pasta al forno più conosciuto. In alcuni dialetti del sud Italia la parola può essere abbreviata in *sagne* o si può usare l'alternativa *lagane*. Due regioni italiane invece, usano un nome completamente diverso. In Veneto questo piatto si chiama pasticcio probabilmente per l'aspetto "disordinato" del piatto. Nelle Marche invece, le lasagne si chiamano vincisgrassi. Secondo alcuni, il nome è l'italianizzazione del nome del generale Alfred von Windisch-Graetz che, durante l'assedio di Ancona del 1849 avrebbe apprezzato particolarmente il piatto, tanto che ha preso il suo nome.

---

parte 5 **Culture a confronto**

5.1 • *Per molti stranieri è una grande delusione arrivare in Italia e scoprire che alcuni piatti "italiani" che loro amano... non sono affatto italiani. Leggi le descrizioni e abbina i piatti alla foto corrispondente.*

○ 1. Quando la moglie di Alfredo di Lelio (cuoco di una locanda al centro di Roma) dà alla luce il primo figlio, lui le prepara un piatto energetico: fettuccine all'uovo con burro e parmigiano. Due stelle del cinema di Hollywood gli fecero una pubblicità così buona che il locale diventò molto conosciuto dagli americani a Roma. In Italia, nessuno conosce questa storia delle *fettuccine Alfredo*, mentre invece in America sono il simbolo del made in Italy gastronomico.

○ 2. Gli spaghetti con le polpette di carne sono un *must* della cucina italo-americana. È uno dei piatti preferiti del regista Martin Scorsese, la cui mamma era solita cucinarli. In Italia esistono come piatto nato dai resti dei pranzo domenicale quando al sugo si aggiungeva della carne, soprattutto al Sud. Negli Stati Uniti però, le grandi polpette di manzo sono servite con gli spaghetti come piatto unico.

○ 3. I pizzaioli napoletani sarebbero pronti a scendere in piazza per difendere la loro pizza di fronte alla *pepperoni* americana. Del resto una "p" in più cambia tutto: *pepperoni* in America non è altro che un salame piccante e non ha nulla a che vedere con i peperoni; la pizza in questione è una sorta di pizza piccante con molto formaggio.

○ 4. La parmigiana è un rito religioso per siciliani e napoletani. Le melanzane siciliane fritte a strati con pomodoro fresco e basilico spolverizzate con parmigiano sono una devozione. Per questo il pollo o la bistecca ricoperti di salsa al pomodoro con aglio, prezzemolo e formaggio sono un piatto mai visto nel Belpaese, soprattutto se servito con un contorno di... spaghetti!

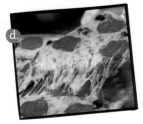

da agrodolce.it

5.2 • *Ma come si mangiano gli spaghetti? Riordina le frasi e poi corri a mangiare un piatto di spaghetti come un vero italiano!*

○ a. Usa le dita per girare la forchetta su sé stessa. Gli spaghetti intrappolati fra le punte iniziano ad avvolgersi formando un rotolino. Continua a girare la forchetta finché gli spaghetti sono ben arrotolati.

○ b. Prendi la forchetta con la tua mano dominante. Gli spaghetti si mangiano usando solo la forchetta, non serve usare il cucchiaio ed è assolutamente proibito tagliarli.

○ c. Solleva la pasta e portala alla bocca. Alza attentamente la posata e gustati l'intero rotolo di spaghetti in un sol boccone. Mangia il boccone e ripeti l'operazione fino alla fine del piatto!

○ d. Infilza un po' di pasta con la forchetta. Solleva la posata e raccogli due o tre spaghetti con le punte della forchetta.

○ e. Se il boccone è troppo grande, ricomincia da capo con un numero minore di spaghetti. Quando il rotolino è molto grande, fai attenzione a non sporcarti con il sugo.

5.3 • *Rispondi alle domande e parla con un compagno delle abitudini legate al cibo in Italia e nel tuo paese.*

Nel tuo paese...

Esiste un equivalente della "spaghettata di mezzanotte"?

C'è un piatto tipico che viene cucinato in modo sbagliato all'estero?

Ci sono alcune regole che bisogna assolutamente rispettare nella preparazione di un piatto tipico?

Ci sono alcune regole dell'etichetta dello stare a tavola che sono diverse rispetto all'Italia?

Osserva queste due famosissime immagini tratte da due film. In Italia sono molto diffuse e può capitare di vederle in ristoranti e pizzerie. C'è qualcosa di simile nel tuo paese? Un film o un'immagine molto famosa legata a un piatto particolare?

Totò in *Miseria e Nobiltà*

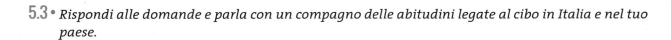

Alberto Sordi in *Un americano a Roma*

UNITÀ 12 – LA FILA

parte 1 Per cominciare

1.1 • *Completa la tabella.*

regioni che conosco

regioni che ho visitato

regioni che non ho mai sentito nominare

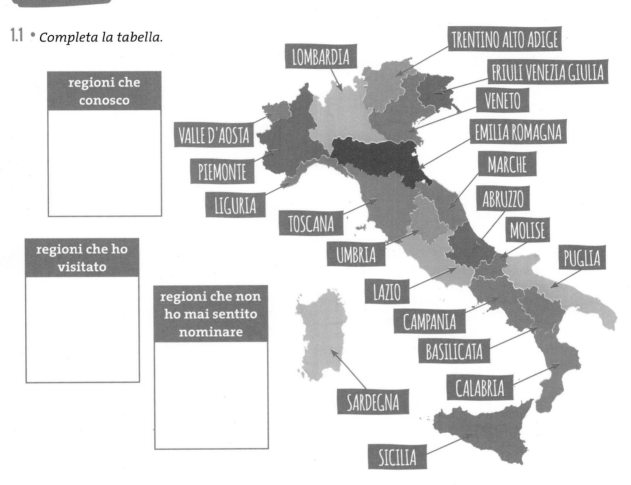

1.2 • *Guarda questi manifesti. Che cosa pubblicizzano? Scegli la risposta corretta.*

a. ☐ L'apertura di un nuovo ristorante che cucina piatti della tradizione locale.

b. ☐ Una festa di paese dove si mangia una specialità tipica.

c. ☐ Un evento religioso seguito da un banchetto.

Ora leggi la storia per verificare la tua ipotesi.

LA FILA

parte 3   Capire il fumetto

3.1 • *Leggi il riassunto dell'episodio. Ci sono quattro informazioni che non sono presenti nella storia a fumetti. Una è già stata cancellata, trova e cancella le altre tre.*

In un paesino nelle Marche, Val e Piero vanno a mangiare alla sagra del fritto ~~all'Ascolana~~. Prima di entrare Piero spiega a Val che la sagra è una festa di paese dove si mangia una specialità tipica. Quando questo è stato chiarito, i due ragazzi vanno a mangiare. Val ha l'incarico di ordinare da mangiare mentre Piero deve prendere due bottiglie di acqua da bere. Si mettono d'accordo per ritrovarsi al tavolo numero 6. Val si mette in fila dietro a due persone, ma quando è il suo turno un signore con i baffi gli passa davanti. Poi gli passano davanti anche una ragazza, un ragazzo con le cuffiette e una bambina. Arriva Piero che stava aspettando Val al tavolo. Val spiega a Piero che non riesce a ordinare perché è straniero e nessuno gli dà retta. Piero spiega a Val come funziona la fila in Italia e gli dà una dimostrazione. Val non è sicuro di riuscire a fare come ha fatto lui, ma Piero lo tranquillizza: avere un amico italiano serve anche a questo!

3.2 • *Rileggi la storia e indica le opzioni corrette.*

1. Il cameriere chiede: "A chi tocca?" perché
   a. ☐ vuole essere sicuro di servire la persona giusta.
   b. ☐ vuole controllare se i clienti hanno pagato.

2. Tutti sorpassano Val nella fila perché
   a. ☐ è straniero.
   b. ☐ non fa niente per farsi vedere.

3. Val non si accorge subito che
   a. ☐ diverse persone gli sono passate davanti.
   b. ☐ doveva fare un'altra fila.

4. Val si sbraccia per
   a. ☐ farsi notare dal cameriere.
   b. ☐ chiamare Piero per chiedergli aiuto.

3.3 • *Il verbo **toccare** ha diversi significati. Leggi la spiegazione e poi trasforma le frasi al passato prossimo.*

Con un oggetto diretto il verbo *toccare* significa "fare contatto con la mano", in questo caso nei tempi composti vuole l'ausiliare *avere*.	 **VIETATO TOCCARE LA MERCE ESPOSTA**
Con un oggetto indiretto *toccare* significa "capitare" e in questo caso può avere una connotazione negativa, oppure può significare "spettare di diritto" o "essere il turno". Quest'ultimo significato del verbo *toccare* è quello usato nella storia a fumetti e nelle conversazioni durante i giochi. In questo caso nei tempi composti vuole l'ausiliare "essere".	TOCCA A TE.

1. Dopo Marco tocca a me dare le carte.

   _____

2. Giulia tocca l'acqua con un dito per controllare la temperatura.

   _____

3. Mi tocca tornare indietro per recuperare le chiavi della macchina.

   _____

4. Non tocco un goccio per tutta la serata.

   _____

5. Dobbiamo dividere il pranzo: ci toccano due panini col formaggio e una mela a testa.

   _____

3.4 • *Segna le espressioni che si possono dire se qualcuno cerca di passare avanti in una fila.*

C'ero prima io!

Toccava a me!

Adesso lo tocco io!

Lei non mi ha toccato!

Noi stiamo filando qui!

Non ha visto che c'è la fila?

parte 4 Approfondiamo: lingua e cultura

4.1 • *Nella storia Val e Piero vanno a una sagra, una festa di paese dove si mangia una specialità tipica. In Italia, le sagre propongono moltissimi cibi, alcuni un po' particolari. Qui sotto ci sono le descrizioni di tre sagre reali e di una sagra inventata. Qual è?*

Sagra della papera – Carassai (AP)

Questa sagra, da anni, raccoglie una notevole affluenza di turisti e appassionati di un piatto che oggi non viene quasi mai proposto nelle tavole delle nostre case. Il menù prevede un piatto di tagliatelle condite con sugo misto di carne, compresa la papera, un quarto di papera arrosto, un contorno di pomodori e vino a volontà. Immancabile l'orchestra che accompagnerà gli amanti del ballo fino a tarda notte.

Sagra dei Cecapreti e della Bufaletta – Guadagnolo (RM)

Secondo la leggenda, questa pasta grossa, faceva strozzare o metteva in difficoltà i preti, una volta considerati buongustai per eccellenza. Da qui il nome "strozzapreti" o "cecapreti" che si possono consumare, insieme a un delizioso spezzatino di bufala, nella storica sagra di questo incantevole borgo a due passi da Roma.

Sagra del risotto al cioccolato – Alba (CN)

Se siete amanti del riso e del cioccolato, non potete perdervi questa golosa manifestazione in una delle città italiane più importanti per la produzione di cioccolato. Oltre al piatto principale, infatti, potrete gustare diverse varietà di cioccolato da bere e da mangiare abbinato a piatti dolci e salati.

Sagra della Lumaca - Graffignano (VT)

Appuntamento imperdibile per chi ama il genere, con degustazione di gustosissime lumache cucinate secondo le antiche ricette tipiche dell'alta Tuscia. Graffignano, infatti, è " Città della Lumaca" in Italia, riconoscimento ottenuto durante il 37° Convegno Internazionale degli allevatori di lumache.

Quali di queste sagre ti piacerebbe visitare? Quale eviteresti a tutti i costi? Perché? Parlane con un compagno.

4.2 • *Nelle Marche non si va solo per fare delle grandi mangiate. Leggi l'articolo e abbina i titoli al paragrafo corrispondente.*

Entrare nel cuore delle Grotte di Frasassi e raggiungere il Tempio del Valadier | Esplorare San Marino, la Repubblica sul Monte Titano | Perdersi tra i Monti Azzurri, i Monti Sibillini | Scoprire i borghi più belli delle Marche

"E che pensieri immensi, / Che dolci sogni mi spirò la vista / Di quel lontano mar, quei monti azzurri."
Giacomo Leopardi

1. _____

Uno dei personaggi più noti di questa terra, Giacomo Leopardi, li chiamava proprio i Monti Azzurri, perché da lontano le loro cime rivolte verso il cielo assumono una sfumatura color azzurro chiaro che li rende ancora più meravigliosi. Qui potrai arrivare fino al Lago di Pilato, attraversare le Gole dell'Infernaccio, entrare nella Grotta del Diavolo oppure incontrare la Regina Sibilla. Nei Monti Azzurri la magia e il mistero partono proprio dai nomi, qui storia e leggenda si mescolano da sempre dando vita a pura meraviglia.

2. _____

Queste grotte sono un esempio di cosa è riuscita a creare la natura nel corso dei millenni. La visita guidata all'interno di queste grotte è un percorso di quasi 2 km che si conclude con un altro incanto della natura, la "sala Bianca". A due passi da qui, si trova anche il magnifico tempietto, una struttura ottagonale fatta costruire nel 1828 da Papa Leone XII, nativo proprio di Genga, su progetto del famoso architetto Valadier. Il Tempio e la grotta unite in un abbraccio rendono questo luogo straordinariamente speciale.

3. _____

Le Marche hanno ben 23 borghi che vantano il titolo di *Borghi più belli d'Italia*. Dal mare alla collina fino ad arrivare ai monti, con un panorama a 360° come Smerillo, "il tetto delle Marche" o San Severino, in provincia di Macerata. Questa splendida cittadina è un esempio di come anche piccole località siano ricche di tesori. San Severino conta: una bellissima piazza del mercato, un castello, un'area archeologica, una decina di chiese costruite fra il X e il XV secolo e ben tre musei! Uno dei meravigliosi borghi delle Marche che aspettano solo di essere visitati.

4. _____

Per vedere questa splendida località dovrete andare all'estero. Non vi preoccupate però, perché non vi dovrete allontanare molto. Al confine con l'Emilia Romagna, infatti, si trova questa formidabile città-stato, la Repubblica più antica del mondo. Questa piccola città è riuscita a mantenersi indipendete dal 1291, mentre l'Italia vedeva moltissimi cambiamenti politici e dominazioni straniere.

adattato da *viaggiesorrisi.com*

4.3 • *Cosa ti piacerebbe vedere nelle Marche? Torna all'esercizio* **4.2** *e scegli le cose da fare e da vedere che ti interessano di più e fai una classifica dei tuoi viaggi nelle Marche.*

	DOVE	COSA FARE / COSA VEDERE
1.		
2.		
3.		

parte 5 Culture a confronto

5.1 • *Abbina ogni personaggio alla motivazione adeguata per saltare la coda.*

Sono incinta.

Ho già fatto la spesa, ma avevo dimenticato di comprare il latte.

Voglio solo sapere quanto costa.

Ho solo 15 minuti di pausa pranzo!

Ho lasciato la macchina in doppia fila!

Devo comprare solo queste due cose.

5.2 • *Leggi l'articolo e scegli l'alternativa corretta fra quelle date.*

Il lavoro che fa «perdere tempo»: «Ora il codista è una professione»

Il suo lavoro è una perdita di tempo. Era un manager Giovanni Cafaro, salernitano da 17 anni a Milano. Quando **ha perso / ha preso** il lavoro si è reinventato "professionista della burocrazia" e ora fa il *codista*. È in fila tutto il giorno per chi non ha tempo. E non crede di "perdere" il suo di tempo, perché **guadagna / approfitta** e si diverte anche, socializzando. Per dare autorevolezza e dignità al suo mestiere ha formulato il "Contratto Collettivo del codista", con tanto di **assicurazione / sicurezza** e **imposizioni / contributi**. Ora chi vuole formarsi deve contattare Giovanni e frequentare il suo corso per ottenere la qualifica. In molti ricorrono al suo sito perché si è compreso "il valore del tempo e nessuno vuole **sprecarlo / risparmiarlo** in fila. Io invece le adoro".

Che tipo di coda preferisci? Hai mai fatto code strane?

Adoro tutti i tipi di coda. Sicuramente mi piacciono le code lunghe, stilisticamente **precise / lente** quindi non disordinate. Quanto alle code strane mi è capitato di essere chiamato per fare la fila per il libro di una soubrette italiana, per un concerto o per l'apertura di un **magazzino / negozio** o per i saldi o addirittura per il nuovo iPhone.

Come passi il tempo mentre sei in fila?

Leggendo un giornale o un libro o programmando gli appuntamenti **successivi / precedenti**, rispondendo alle mail e organizzando la mia settimana lavorativa.

Ora da imprenditore fai ancora le file?

Certo! Adoro farle e **mi auguro / faccio gli auguri** che ci sia sempre più burocrazia e inefficienza, anche se vorrei il progresso anche nel mio Paese. Intanto, viva i codisti e le code!

Segna quali fra queste informazioni sono contenute nel testo.

- ○ 1. Giovanni Cafaro si è inventato questo lavoro quando è rimasto disoccupato.
- ○ 2. Il codista è un lavoro principalmente in nero.
- ○ 3. Ha fatto molte code per prenotare tavoli in ristoranti di lusso.
- ○ 4. Mentre aspetta, legge un giornale o risponde alle email per distrarsi.
- ○ 5. Ama la burocrazia italiana che gli permette di lavorare.

5.3 • *Rispondi alle domande e parla con un compagno delle abitudini legate alle sagre e al fare la fila in Italia e nel tuo paese.*

Nel tuo paese...

C'è un evento simile alla sagra? Se sì, quali possono essere i cibi e le bevande che si consumano?

Trovi molte differenze fra la coda in Italia e nel tuo paese?

Pagheresti qualcuno per fare la fila al posto tuo? Per che cosa?

Guarda le scuse usate dai personaggi nell'esercizio **5.1**, nel tuo pase sarebbero motivazione accettabili per saltare la fila?

UNITÀ 13 – RUMORI A ROMA

parte 1   Per cominciare

1.1 • *Per che cosa è famosa Roma? Guarda le foto e trova l'elemento per cui Roma **non** è conosciuta in Italia e nel mondo.*

Per essere il centro della religione cattolica.

Per avere un clima mite e piacevole.

Per i suoi bellissimi monumenti.

Per le sue piste ciclabili.

Per la sua storia millenaria.

1.2 • *Roma è veramente la "città eterna". Metti in ordine questi avvenimenti della sua lunga storia.*

a. Federico Fellini gira il film simbolo di un'epoca. La "dolce vita".

b. Secondo la leggenda, Roma viene fondata dai gemelli Romolo e Remo.

c. Michelangelo affresca la Cappella Sistina.

753 a. C.   117   380   1508   1871   1960

d. Con l'imperatore Teodosio il cristianesimo diventa religione di stato e Roma diventa il centro del mondo cristiano-cattolico.

e. Roma diventa la capitale d'Italia.

f. Sotto Traiano l'impero romano raggiunge la sua massima espansione: dall'Oceano Atlantico al Golfo Persico.

RUMORI A ROMA

parte 3 · Capire il fumetto

3.1 • *Riordina il riassunto della storia.*

    a. Val immagina alcune scene catastrofiche per spiegare quello che sta succedendo.

    b. Alla fine, Piero spiega a Val che in alcune occasioni speciali è permesso fare rumore.

    c. Si incamminano per andare verso il Campidoglio, Val vuole fare delle foto del panorama.

    d. Val e Piero sono a Roma. Escono dalla metro alla fermata del Colosseo.

    e. Il mistero è presto svelato: il rumore viene dal corteo di un matrimonio.

    f. Mentre camminano sentono dei rumori sempre più forti.

1. ◯ / 2. ◯ / 3. ◯ / 4. ◯ / 5. ◯ / 6. ◯

3.2 • *Prima di capire la causa del rumore, Val immagina alcune situazioni possibili. Quali?*

    ◯ 1. Un incidente stradale, un terremoto, l'inizio di una guerra.

    ◯ 2. Una rissa fuori da un bar, un inseguimento della polizia, un terremoto.

    ◯ 3. Un incidente stradale, un inseguimento della polizia, l'inizio di una guerra.

    ◯ 4. Un inseguimento della polizia, una tempesta, una manifestazione violenta.

3.3 • *Guarda questa mappa del centro di Roma. Qual è la via che stanno percorrendo Val e Piero nella storia?*

3.4 • *Quello che vedi non è sempre quello che sembra! Descrivi le illusioni ottiche nelle foto collegando gli elementi della frase come nell'esempio.*

sta iniziando | guerra | invece | matrimonio

→ *Sembra che stia iniziando una guerra invece è un matrimonio.*

macchina | sta uscendo | invece | disegno

→ _____

_____

rubinetto | sospeso | invece | fontana

→ _____

_____

uomo | dentro | piscina | invece | sotto | vetro

→ _____

_____

uomo | bicicletta | invece | disegno

→ _____

_____

3.5 • *Abbina le espressioni qui sotto al contesto appropriato, come nell'esempio.*

~~Che casino!~~ | **Che confusione!** | **Non mi interessa.** | **Non me ne frega niente.** | **Mi fa schifo!** | **Non mi piace.** | **Non mi disturbare.** | **Non mi rompere le scatole!**

INFORMALE

Che casino!

_____

_____

_____

FORMALE

_____

_____

_____

parte 4 · Approfondiamo: lingua e cultura

4.1 • *Associa ogni rumore alla frase in cui viene usato.*

1. _____ ... c'è qualcuno in casa?
2. _____, fate piano, Roberto sta dormendo!
3. Non ho visto che per terra era tutto bagnato e _____, sono caduta!
4. Compra il biglietto del concerto con un solo _____!
5. L'Italia negli anni Sessanta ha avuto il suo _____ economico.
6. Guarda, usare questa macchinetta è molto facile; basta fare così... _____! Facile, no?

4.2 • *In questo testo, un italiano all'estero osserva un fatto che a Roma succede abbastanza spesso. Leggi il testo e rispondi alle domande.*

Tornati alla macchina, ci accorgiamo che qualcuno ha parcheggiato <u>in doppia fila davanti a noi</u>. «Oh mio dio!» <u>geme</u> Alexandra sconvolta. «Io non capisco. C'è... c'è una macchina messa sulla strada, ma come facciamo a uscire adesso?» Alexandra è <u>nel pallone</u>. «Forse possiamo chiedere nei negozi qui di fronte» <u>azzardo</u> io, senza neanche considerare l'idea di spiegarle come avremmo risolto la questione a Roma. Ma lei non mi sente neppure più: «Non mi è mai successa una cosa del genere in vita mia. Che facciamo ora, che facciamo?». Proprio mentre lei è a un passo dall'<u>abisso esistenziale</u>, un uomo esce <u>sbracciandosi</u> da un negozio e sposta la macchina. Il tutto è durato meno di un minuto, ma Alexandra ne è uscita malissimo.

da Claudio Rossi Marcelli, *Hello daddy!*

Abbina le parole <u>sottolineate</u> al sinonimo corrispondente.

a. è confusa   _____
b. muovendo le braccia _____
c. provo a dire   _____
d. si lamenta   _____
e. crisi   _____
f. bloccando la nostra macchina _____

L'autore lascia un sottinteso quando dice: "senza neanche considerare l'idea di spiegarle come avremmo risolto la questione a Roma". Secondo te, come si risolverebbe la questione a Roma?

a. ☐ Chiamando i vigili.
b. ☐ Cercando il proprietario della macchina nelle vicinanze.
c. ☐ Suonando il clacson finchè non arriva il proprietario della macchina.
d. ☐ Chiamando un taxi.

4.3 • *Il sito* tripadvisor.com *raccoglie le recensioni dei viaggiatori di tutto il mondo su alberghi, ristoranti e monumenti. Qui sotto trovi tre diverse recensioni sul Colosseo, leggile e scrivi di fianco a ogni testo se si tratta di una recensione da una* ◉ *, tre* ◉◉◉ *o cinque* ◉◉◉◉◉*.*

a.

○○○○○

In rovina, ma impressionante. L'Anfiteatro Flavio ha sempre il suo fascino, nonostante ormai resti solo una piccola parte di quella magnifica struttura che era in origine. Un leggero brivido scorre sulla schiena se pensiamo a tutte le cose che sono successe al suo interno.

b.

○○○○○

Meraviglioso. Unico, inimitabile, meraviglioso, fantastico, stupendo. Non ci sono parole per poterlo descrivere. Ho passato l'intero pomeriggio dentro al Colosseo. La fila da fare non è lunghissima, nel giro di 10 minuti ero dentro. All'interno è davvero un ambiente suggestivo e la visita guidata ti fa rivivere la storia passata come fosse oggi!

c.

○○○○○

Solo sassi. Un mucchio di pietre gestito in modo grossolano da gente senza scrupoli. Non vedrete né più né meno quello che si vede da fuori. L'unico ricordo che resterà sarà quello della fila interminabile e del personale scorbutico e poco innamorato del proprio lavoro. Alla larga.

4.4 • *Roma era una delle destinazioni fondamentali del Grand Tour dei viaggiatori del 1700 e del 1800. Leggi le descrizioni fatte dallo scrittore francese Stendhal e abbinale al monumento corrispondente.*

○ **a.** Abbandonatevi solo per qualche istante all'ammirazione che suscita un monumento così grande, così bello, così ben tenuto, in una parola la più bella chiesa del mondo. [...] Consiglio al turista di sedersi su un banco e di poggiare la testa sullo schienale: là potrà riposarsi e contemplare comodamente l'immenso vuoto sopra alla sua testa.

○ **b.** È certamente ciò che rimane di più bello dell'antichità romana, e si è conservato così bene da apparire a noi com'era al tempo dei Romani.[...] Ha una grande prerogativa: bastano due istanti per comprenderne tutta la bellezza. Ci si ferma davanti al portico, si fa qualche passo, si vede la chiesa, e tutto è finito.

○ **c.** Quando fu inaugurato da Tito, il popolo romano si divertì a veder morire cinquemila leoni, tigri ed altre bestie feroci, e circa tremila gladiatori. I giochi durarono cento giorni [...]. È un monumento sublime perché è per noi un segno vivente dei Romani che abbiamo studiato per tutta la nostra infanzia.

da Stendhal, *Passeggiate romane*

parte 5 · Culture a confronto

5.1 • *Completa con la parola mancante questi rituali che si fanno in occasione di un matrimonio.*

barba | **bicchiere** | **bottiglia** | **piatti** | **scopa** | **tatuaggi**

1. Gli sposi saltano insieme sopra a una _____, in particolare nella comunità afro-americana.
Stati Uniti

2. Le mani della sposa sono decorate con il *mehndi*, dei _____ temporanei fatti con l'hennè.
India

3. Gli amici dello sposo vanno a casa sua prima della cerimonia per fargli la _____ e aiutarlo a prepararsi.
Grecia

3. Alla fine della cerimonia lo sposo deve calpestare un _____.
Israele

5. La sera prima delle nozze gli invitati al matrimonio rompono dei _____ di ceramica di fronte alla casa della sposa. Alla fine gli sposi devono pulire i cocci per imparare che dovranno lavorare insieme durante il matrimonio.
Germania

6. Si mangia la *kransekake*, una torta ad anelli che può contenere una _____ di vino all'interno.
Norvegia

5.2 • *Associa le foto alla descrizione.*

⃝ 1. Lo *shofar* è un corno di montone che si suona in occasione di alcune festività religiose ebraiche come il capodanno e lo Yom Kippur.

⃝ 2. La *vuvuzela* è una trombetta comunemente usata dal pubblico che assiste alle partite di calcio. A Città del Capo ne esiste una lunga ben 35 metri che è stata suonata prima di ogni partita dei mondiali del 2010.

⃝ 3. La preghiera tradizionale in un tempio scintoista giapponese comprende due battiti di mani dopo essersi inchinati per due volte.

⃝ 4. Il *cacerolazo* (o *cacerolada*) è una protesta pacifica e rumorosa, originaria dell'America Latina, che viene fatta in molti paese sbattendo i mestoli sulle pentole.

⃝ 5. In alcuni contesti negli Stati Uniti è comune schioccare le dita (e non applaudire) se si vuole dimostrare di approvare un discorso senza volerlo iterrompere.

⃝ 6. Il *keysaku* (o *kyosaku*): il bastone del risveglio. È un bastone piatto di bambù che viene usato per aiutare chi vuole raggiungere uno stato di meditazione nello Zen. Fa un suono secco ben riconoscibile.

5.3 • *Rispondi alle domande e parla con un compagno delle abitudini legate al rumore in Italia e nel tuo paese.*

Per te l'Italia è un paese rumoroso?
Ti sembra che gli italiani parlino a voce alta?
Nel tuo paese ci sono delle tradizioni legate al matrimonio?

Nel tuo paese è normale suonare il clacson o si fa solo in casi di emergenza?
C'è un suono che ha un significato particolare, come quelli che abbiamo visto al punto 5.2?

UNITÀ 14 – OSPITALITÀ DEL SUD

parte 1 **Per cominciare**

1.1 • *In Italia c'è un modo di dire molto conosciuto sull'ospitalità. Riesci a completarlo?*

L'ospite è come il pesce:
- ○ 1. più cerchi di trattenerlo, più scivola via.
- ○ 2. dopo tre giorni puzza.
- ○ 3. è meglio se non si muove troppo.

1.2 • *Leggi l'antefatto. Riesci a immaginare dove andranno in vacanza Val e Piero?*

In quale di queste regioni si svolge la storia? Scegli l'opzione che ti convince di più e poi leggi il fumetto per verificare la tua ipotesi.

a. ☐ Valle d'Aosta   b. ☐ Umbria   c. ☐ Calabria

OSPITALITÀ DEL SUD

parte 3   Capire il fumetto

3.1 • *Completa il resoconto della storia con le parole mancanti.*

**abbondante | affettuoso | allegramente | disagio | invitarli
materassini | ospitalità | pigiama | tranquillamente**

Val e Piero fanno un viaggio in treno per andare a fare una vacanza al mare in un paesino della Calabria dove saranno ospiti degli zii di Piero. Gli zii sono molto contenti di vederli e la zia stritola Piero in un abbraccio _____. Appena arrivati, i due ragazzi vanno a riposarsi mentre la zia finisce di preparare la cena. La cena è molto _____ e anche se Val dice che si sente pieno e non vuole più mangiare, la zia insiste _____ perché dice che lo vede sciupato. Al termine della cena, i due ragazzi tornano in camera e Val dice a Piero che i suoi zii sono gentilissimi. Quando la mattina dopo Val e Piero scendono per la colazione ancora in _____, Val nota che gli zii stanno sgonfiando dei _____. Val è sorpreso e chiede a Piero perché i suoi zii abbiano dormito in soggiorno. Piero risponde che gli zii hanno ceduto a lui e Val l'unica camera della casa e quindi hanno passato la notte in soggiorno, su dei materassini gonfiabili. Val si sente molto in colpa perché pensa di aver messo in difficoltà gli zii di Piero, era convinto che la camera in cui hanno dormito fosse la stanza degli ospiti. Sentendosi a _____, Val vuole andarsene subito e cercare un albergo perché non potrà mai ricambiare l'_____ degli zii di Piero. Piero glielo proibisce perché in questo modo li offenderebbero a morte. Piuttosto è il caso di _____ ad andare a trovarlo nel suo paese. Tempo dopo, mentre Val è _____ a casa a leggere un libro, la sua ragazza gli dice che ci sono due signori italiani che sono venuti a cercarlo.

3.2 • *Guarda ancora questo scambio di battute e rispondi alle domande.*

1. Val dice chiaramente che non vuole mangiare più, ma la zia gli dà comunque una seconda porzione di lasagne. Perché?
   - a. ☐ Perché pensa che Val voglia ancora lasagne, ma forse non vuole chiedere una seconda porzione.
   - b. ☐ Perché non ha capito o sentito quello che sta dicendo Val.
   - c. ☐ Perché ha deciso che Val è troppo magro e deve mangiare di più.

2. Che cosa può fare Val in questa situazione?
   - a. ☐ Ripetere con fermezza che non vuole più mangiare, la zia capirà.
   - b. ☐ Slacciarsi la cintura dei pantaloni e mangiare. Se non lo fa, rischia di offendere la zia.
   - c. ☐ Mangiare solo una piccola parte delle lasagne e lasciare il resto.

3.3 • *Perché Val si comporta così? Scegli la risposta corretta.*

1. Perché Val si stupisce di vedere che gli zii stanno dormendo in soggiorno?
    a. ☐ Perché non aveva capito che lui e Piero hanno dormito nella loro stanza.
    b. ☐ Perché non aveva capito che il soggiorno è anche la camera degli ospiti.
    c. ☐ Perché non aveva capito che erano andati al mare.

2. Come si sente Val quando capisce l'equivoco?
    a. ☐ Si stupisce delle loro usanze ma le accetta volentieri.
    b. ☐ Si sente molto importante perché gli zii lo trattano bene.
    c. ☐ Si sente a disagio, non vuole disturbare e non sa come ricambiare.

3. Che cosa gli suggerisce di fare Piero?
    a. ☐ Di mandare gli zii in un albergo mentre lui e Val sono lì.
    b. ☐ Di non andare in albergo, ma di invitarli a casa di Val.
    c. ☐ Di andare in albergo, dopo averli invitati a casa di Val.

parte 4 · Approfondiamo: lingua e cultura

4.1 • *Offrire o rifiutare? A volte ci possono essere diverse cerimonie fra chi vuole offrire a tutti i costi qualcosa e chi vorrebbe rifiutare. Abbina le frasi alla situazione adeguata, come nell'esempio.*

Offrire   **Rifiutare**

a. Ti vedo sciupato.

b. Non vorrei dare fastidio.

c. Come se avessi accettato.

d. Non fare complimenti!

e. Guarda che mi offendo!

f. Non ti disturbare.

4.2 • *Nella storia la zia di Piero dice una frase tipica da mamma o da nonna italiana: "ti vedo sciupato". Leggi l'articolo e completalo con le espressioni mancanti. Attenzione: ce n'è una in più.*

a. **"Chiedi a tuo padre"**

b. **"Bambiniiii, a tavola"**

c. **"Con chi parlavi?"**

d. **"Con tutto quello che faccio per te!"**

e. **"Questa casa non è un albergo!"**

f. **"Sei sciupato, ma non mangi?"**

TUTTE LE FRASI CHE TUA MADRE TI HA DETTO NEL CORSO DELLA VITA

C'è qualcosa che rende le mamme uniche e al tempo stesso simili tra loro e si tratta di ammonimenti, raccomandazioni e frasi che tutti ci siamo sentiti dire almeno una volta nella vita. Ne abbiamo raccolte cinque. Ti suonano familiari?

1. _____ - Urlato dal piano di sotto a squarciagola. Solo che tu e i tuoi fratelli siete quasi trentenni e lei si ostina ancora a dire "bambini".

2. _____ - Come dire "non puoi entrare e uscire quando vuoi". Così sentita e risentita che ormai è il motto di tutte le mamme.

3. _____ - Da adolescente ogni richiesta era un via-vai: da mamma che ti mandava a papà per il permesso... e da papà che ti rispediva alla mamma! Finché non eri sfinito tu... o loro!

4. _____ - Questa, ovviamente, è la frase che dice quando stai via per un po' o quando vai a vivere da solo... tre giorni dopo!

5. _____ - Non c'è telefonata cui lei assista (o è sufficiente che senta il tuo telefono squillare dall'altra parte della casa) per la quale non voglia sapere con chi tu stessi parlando. Eh, le mamme son curiose!

da 105.net

4.3 • *In italiano alcune parole (chiamate* enantiosemie*) possono avere due significati opposti. Ricostruisci le parole in base alle definizioni aiutandoti con le sillabe scritte nel riquadro.*

AF - FE - FIT - LE - O - RA - RE - RE - RIA - SPI - TA - TE - TI

1. Questo verbo può significare sia "prendere" che "dare" in affitto. _____

2. Questa parola può significare "delle ferie", cioè dei giorni di vacanza, ma si usa molto spesso per indicare i giorni lavorativi. Attenti a non fare confusione quando vedete questa parola su un divieto di parcheggio. _____

3. Questa parola può indicare sia la persona che ospita che quella che viene ospitata.

   _____

4. Questo verbo può significare sia "avvicinare a sé qualcosa" come una porta, sia "allontanare da sé qualcosa" come una palla. _____

4.4 • *Nell'esercizio 1.2 Val ha chiesto a Piero di portarlo in un posto "piccolo ma dalla storia interessante". Vuoi sapere cosa ha di speciale il paese dove sono andati? Leggi gli articoli su Riace e abbina a ogni paragrafo la foto corrispondente.*

Riace è un piccolo paese sulla costa ionica della Calabria, conosciuto principalmente per una straordinaria scoperta archeologica avvenuta nel 1972. Un subacqueo dilettante in vacanza, infatti, ha ritrovato due statue dell'antica Grecia (V secolo a.C) in un eccezionale stato di conservazione, chiamate *I bronzi di Riace* (**1:___**). Le statue sono state trasferite nel Museo Nazionale di Reggio Calabria e Riace è tornata a essere una tranquilla cittadina fino a quando non arrivò la prima barca di rifugiati curdi nel 1998.

Un insegnante del paese, Mimmo Lucano, fondò insieme ad alcuni compaesani un'associazione per dare ospitalità ai rifugiati. Nel giro di pochi anni, l'iniziativa ha portato risultati notevoli; la scuola primaria ha riaperto dopo essere rimasta chiusa per mancanza di studenti (una situazione comune a molti piccoli centri del sud Italia). Alcuni abitanti hanno iniziato a lavorare come mediatori culturali e la città ha iniziato a organizzare un sistema di raccolta differenziata dei rifiuti. Da quando il progetto è iniziato ufficialmente nel 2004, oltre seimila rifugiati sono passati di qui, e circa 400 risiedono stabilmente nel Villaggio Globale di Riace (**2:___**). La città ha accolto rifugiati provenienti da più di venti paesi del mondo, fra cui: Kurdistan, Libano, Palestina e Siria (**3:___**). Mimmo Lucano è diventato sindaco di Riace e nel 2016 è stato

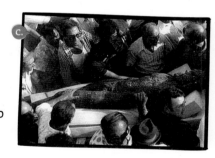

nominato dalla rivista *Fortune* uno dei 50 *leader* più influenti al mondo per il suo lavoro sull'integrazione dei migranti.

Ispirati da questa storia abbiamo visitato Riace e abbiamo visto una bellissima cittadina in cui persone provenienti da tutto il mondo hanno creato una comunità ospitale e accogliente. Anche se Riace non ha meraviglie da vedere, resta un posto bellissimo da visitare. In mezzo alla meravigliosa natura dell'Aspromonte e decorata da coloratissimi graffiti, è una cittadina accogliente e tranquilla, la casa di una comunità multiculturale (**4:___**). Nel 2018, in seguito all'opposizione del governo centrale, la comunità che si era creata a Riace è stata smantellata e il suo sindaco è stato costretto a dimettersi. Nonostante queste difficoltà, il "modello Riace" continua a essere citato come una delle possibili soluzioni ai problemi dell'immigrazione in Europa e Mimmo Lucano è diventato un personaggio di rilevanza nazionale.

adattato da *southofitaly.com*

parte 5 · Culture a confronto

5.1 • *Ospitalità all'italiana: fai il test.*

1. È domenica e stai per uscire con i tuoi amici. Si presenta a casa tua un cugino di secondo grado che non vedi da diversi anni. Dice che passava per il tuo quartiere e ha pensato di fermarsi a farti un saluto. Che fai?
   a. ☐ Con un cugino di secondo grado non mi sforzo nemmeno di essere gentile. Gli dico che sto uscendo e che la prossima volta deve chiamare in anticipo.
   b. ☐ Gli dico che sto uscendo, ma che se vuole può venire anche lui con me.
   c. ☐ Disdico l'appuntamento con i miei amici e lo invito subito a cena.

2. Sei invitato a cena a casa di amici dei tuoi genitori. Che cosa porti?
   a. ☐ Un bel sorriso. Se voglio spendere dei soldi, vado a cena fuori.
   b. ☐ Quello che trovo nel negozio sotto casa loro, quello che conta è il pensiero.
   c. ☐ Una bottiglia di vino buono. E una pianta per l'appartamento. E dei cioccolatini in una bella confezione. E se è estate un po' di gelato. Insomma, alla fine, questa cena mi costa più di una cena al ristorante.

3. Passi a casa di un tuo amico per prendere un libro. Quando arrivi sono le 20:00 e sua madre ti invita a cena. Cosa fai?
   a. ☐ Accetto con piacere. Per una sera non devo cucinare.
   b. ☐ Dico che non vorrei disturbare, ma se insiste una volta accetto, si vede che le fa piacere avermi a cena.
   c. ☐ Rifiuto almeno dieci volte prima di accettare. È quasi sicuramente solo un invito di cortesia.

4. Un tuo amico è di passaggio nella tua città mentre è in viaggio con altri quattro amici, ti chiama per chiederti un consiglio su un albergo. Che cosa fai?
   a. ☐ Gli consiglio un albergo.
   b. ☐ Gli consiglio un albergo e invito lui e uno dei suoi amici a casa mia, in questo modo potranno risparmiare un pochino.
   c. ☐ Ma quale albergo?! Devono venire tutti e cinque a casa mia! Un modo per sistemarci lo troviamo, ma non sia mai che vada in albergo, che razza di amico sarei?

5. Sei a cena a casa di un amico. Sua madre ti mette nel piatto un cibo che tu detesti. Che cosa fai?
   a. ☐ Dico: "No grazie, questo cibo non mi piace".
   b. ☐ Mi invento una scusa, dico che sono allergico.
   c. ☐ Mi faccio coraggio e lo mangio fino all'ultimo boccone. Spero solo che non mi offra il bis.

6. Il padre di un tuo amico ha dipinto un quadro. Tu lo trovi brutto, ma gli fai comunque un complimento e lui insiste per regalartelo. Che cosa fai?
   a. ☐ Gli dico che non voglio avere una cosa che gli è costata tanto lavoro.
   b. ☐ Rifiuto ma se insiste lo porto a casa e lo nascondo in cantina.
   c. ☐ Rifiuto, ma se insiste lo porto a casa e lo metto bene in vista in sala. Se per caso viene a trovarmi deve assolutamente vederlo esposto.

MAGGIORANZA DI RISPOSTE A:	**MAGGIORANZA DI RISPOSTE B:**	**MAGGIORANZA DI RISPOSTE C:**
PROFILO EREMITA	**PROFILO CORDIALE**	**PROFILO MEDITERRANEO**
L'ospitalità è una scelta e tu scegli di non ospitare. Hai tutte le ragioni per farlo e se a te sta bene così non deve essere un problema per gli altri. Ora torna pure nella tua caverna.	Ospitare va benissimo, ma ci sono dei limiti e delle regole. L'ospite non deve mai disturbare i padroni di casa altrimenti è maleducazione. Sarà sicuramente così anche in Italia. O no?	Non c'è limite all'ospitalità. Ogni persona che arriva a casa tua ha diritto ad una cena di almeno quattro portate e a un trattamento da re. Più siamo, meglio stiamo.

5.2 • *Riordina questa frase.*

**Gli | graditi | o | sono | sempre | quando:
| ne | vengono | ospiti | o | se | vanno. | quando**

5.3 • *Rispondi alle domande e parla con un compagno delle abitudini legate all'ospitalità in Italia e nel tuo paese.*

Nel tuo paese...

Le persone possono andare a casa degli altri senza avvisare?

È normale che chi ospita si sacrifichi un po'?

È abitudine portare un regalo se si è invitati a casa di un'altra persona? Che cosa?

Se un conoscente viene a casa tua mentre la famiglia si sta per mettere a tavola, è considerato normale invitarlo a mangiare?

È normale ricambiare l'ospitalità o non è necessario?

UNITÀ 15 – UNA LINGUA MISTERIOSA

parte 1 Per cominciare

1.1 • *Conosci il significato di queste parole in dialetto veneziano? Prova a fare delle ipotesi, troverai la soluzione all'interno dell'unità.*

1. *Rialto* è:
   a. ☐ il ponte più importante della città.
   b. ☐ il quartiere dove vivevano gli stranieri.
   c. ☐ un tipo di canale.

2. La *gondola* è:
   a. ☐ un tipo di ponte.
   b. ☐ la lunga imbarcazione nera, simbolo di Venezia.
   c. ☐ una maschera della commedia dell'arte.

3. Una *bricola* serve per:
   a. ☐ limitare i corsi d'acqua che si possono navigare.
   b. ☐ trasportare la frutta e la verdura all'interno di Venezia.
   c. ☐ passare da un lato all'altro del Canal Grande.

4. *Pantalon* è:
   a. ☐ un capo di abbigliamento tipico del Carnevale.
   b. ☐ la divisa dei gondolieri.
   c. ☐ una maschera della commedia dell'arte.

5. A Venezia un *campo* è:
   a. ☐ un orto pubblico.
   b. ☐ una piazza.
   c. ☐ un tipo di canale.

6. I *cicheti* sono:
   a. ☐ i tipici antipasti veneziani.
   b. ☐ dei piccoli crostacei che si mangiano con la polenta.
   c. ☐ delle sigarette strette e lunghe che si fumavano un tempo a Venezia.

7. In un *bacaro* posso comprare:
   a. ☐ *cicheti* e vino.
   b. ☐ biscotti e cappuccino.
   c. ☐ souvenir di Venezia.

8. In uno *squero* si costruiscono:
   a. ☐ i pali di legno che si vedono nei canali.
   b. ☐ oggetti di vetro lavorato.
   c. ☐ le *gondole* e altre imbarcazioni tipiche di Venezia.

1.2 • *Nella storia che stai per leggere incontrerai questi due personaggi. Che cosa fanno? Qual è il loro ruolo? Scegli l'ipotesi che ti convince di più.*

a. ☐ Sono due gondolieri che si arrabbiano con dei turisti.
b. ☐ Sono due gangster che provocano una rissa in un locale affollato.
c. ☐ Sono due turisti che vengono arrestati dalla polizia.
d. ☐ Sono due restauratori che fanno la pausa pranzo.
e. ☐ Sono due artigiani del vetro che fanno delle bellissime statuine.

Ora leggi la storia e verifica la tua ipotesi.

UNA LINGUA MISTERIOSA

VAL E PIERO SONO A VENEZIA.

LEI È MIA SORELLA CHIARA!

FINALMENTE TI CONOSCO! QUINDI TU VIVI QUI A VENEZIA?

SÌ, STUDIO ARCHITETTURA E RESTAURO.

INTERESSANTE!

SGURGLE

HO FAME! ANDIAMO A MANGIARE?

VOLENTIERI! LÌ C'È UN BAR CHE FA I "CICHETI", I TRADIZIONALI ANTIPASTI VENEZIANI.

SLURP!

CHE FOLLA!

ECCO UN TAVOLO LIBERO!

NOI ANDIAMO A PRENDERE DA MANGIARE, TU ASPETTA QUI.

OK.

IN ITALIA LE CONVERSAZIONI POSSONO DIVENTARE MOLTO ANIMATE. QUANDO LE PERSONE SONO IN CONFIDENZA, SI AVVICINANO MOLTO L'UNA ALL'ALTRA.

OK, MA È SICURAMENTE SUCCESSO QUALCOSA DI GRAVE... E POI, MA CHE LINGUA PARLANO?

PARLANO DIALETTO VENEZIANO.

E NON È SUCCESSO NIENTE DI GRAVE, STAI TRANQUILLO! STANNO PARLANDO DI PORTE E FINESTRE.

EH?!

SÌ, SONO DUE RESTAURATORI COME ME. CIAO TONI!

CIAO CHIARA!

FINE!

parte 3 Capire il fumetto

3.1 • *Rileggi la storia e segna se queste affermazioni sono vere o false.*

	V	F
1. Piero presenta Val a sua sorella per la prima volta.	☐	☐
2. Vanno a mangiare insieme in una pizzeria.	☐	☐
3. Val tiene il tavolo mentre Piero e Chiara vanno a prendere da mangiare al banco.	☐	☐
4. Nello stesso tavolo di Val si siedono due uomini corpulenti.	☐	☐
5. I due uomini iniziano a discutere tranquillamente.	☐	☐
6. Val si immagina che la situazione stia per diventare pericolosa.	☐	☐
7. Piero e Chiara ridono perché Val si è spaventato per nulla.	☐	☐
8. Val non capisce quello che dicono i due uomini.	☐	☐
9. I due uomini discutono su che cosa ordinare a pranzo.	☐	☐
10. Chiara li conosce e li saluta.	☐	☐

3.2 • *Val si preoccupa che la situazione diventi pericolosa. Scrivi quello che pensa in queste tre vignette.*

_____   _____   _____

_____   _____   _____

3.3 • *Rimetti in ordine la conversazione fra i due restauratori, come negli esempi.*

○ a. "Ehi, Toni!"

○ b. "Baccalà anche per me, allora."

② c. "Eh?"

○ d. "Giallo?! Ma il proprietario non voleva tutto bianco?"

○ e. "Hai comprato le porte e le finestre per quell'appartamento da ristrutturare in Campo San Polo?"

○ f. "Il baccalà. Qui lo fanno buonissimo."

⑥ g. "Quello che è! Tanto finchè non finiscono di sistemare l'impianto elettrico non possiamo fare niente."

○ h. "Ti ho già detto che le prendo dopo che abbiamo finito di dipingere! Non voglio che si sporchino di giallo mentre dipingiamo, sono di legno pregiato."

○ i. "Va bene, dai, ordiniamo. Tu cosa prendi?"

4.1 • *Nella storia Val, Piero e Chiara vanno a mangiare in un* bacaro, *un bar che prepara i* cicheti, *i tradizionali spuntini veneziani. Leggi i testi e abbina il nome alla descrizione dei piatti.*

**baccalà alla vicentina | tramezzini | baccalà mantecato
schie con la polenta | insalata di polpo | sarde in saor**

_____

Non contiene necessariamente insalata, ma sicuramente contiene abbondante polpo lessato condito con olio, sale e limone. Può essere condita con verdure crude, ma anche con patate o olive, sempre spolverato di prezzemolo. Nei menù dei ristoranti di Venezia si può facilmente trovare il nome "insalata di piovra".

_____

A vederlo, non si direbbe che si tratta di pesce. Il baccalà, infatti, viene trattato in modo da diventare una crema che si spalma su una fetta di pane o si mangia accompagnato da polenta. Questo procedimento, che si chiama mantecatura, lo rende con una consistenza simile al formaggio. Si mangia freddo, spolverato di prezzemolo.

_____

I piccoli gamberetti appoggiati sulla polenta si chiamano *schie*. Non vi aspettate che gli italiani di altre regioni li conoscano: sono tipici della laguna veneta. A Venezia costituiscono uno degli antipasti più comuni serviti sulla polenta morbida che può essere gialla o bianca.

_____

Questa ricetta, originaria della vicina città di Vicenza, è una cosa seria. Talmente seria che a Vicenza è in attività una "Confraternita del baccalà" che si tramanda di generazione in generazione i segreti su come si prepara questo piatto prelibato. Anche se non è originario di Venezia (il baccalà migliore si importa dalla Norvegia), questo piatto è servito in tutti i ristoranti della città.

_____

La traduzione italiana di *saor* è "sapore". Questo condimento saporito in passato si usava per diversi cibi, perché l'aceto con cui si condiscono le cipolle aiutava a conservare carne e verdure più a lungo. La ricetta più famosa però riguarda le sarde. I piccoli pesci vengono fritti e serviti insieme al condimento di cipolle. Si mangiano rigorosamente fredde e almeno un giorno dopo averle preparate.

_____

Questi panini dalla forma triangolare sono stati inventati in Piemonte, ma si trovano in tutta Italia. I tramezzini veneziani, però, sono rinomati per essere particolarmente buoni. Il ripieno è molto abbondante e oltre alle varianti più comuni come pomodoro e mozzarella o tonno e cipolline, i bar veneziani si sbizzarriscono inventando combinazioni nuove e appetitose.

UN NOME, TANTI SOPRANNOMI

In Italia alcuni nomi di persona sono associati a una città o di una regione. Alvise è usato in Veneto ed è quasi sconosciuto nelle altre regioni, lo stesso vale per Calogero e Rosalia in Sicilia. Se incontrate Ciro o Gennaro saranno probabilmente originari della Campania, mentre Lapo e Neri della Toscana. D'altra parte, anche i nomi più comuni come Giuseppe o Antonio possono rivelare la provenienza di chi li porta a seconda del soprannome che viene usato. Giuseppe, infatti si abbrevia in **Bepi** al nord-est, **Beppe** nel resto del nord e **Giuse'** o **Peppe** al centro-sud. Antonio diventa **Toni** al nord-est e **Antò** o **Totò** al centro-sud.

4.2 • *Sapevi che Wikipedia è stata tradotta in diversi dialetti italiani?*
Leggi il messaggio di benvenuto e associalo alla regione in cui si parla quel dialetto.

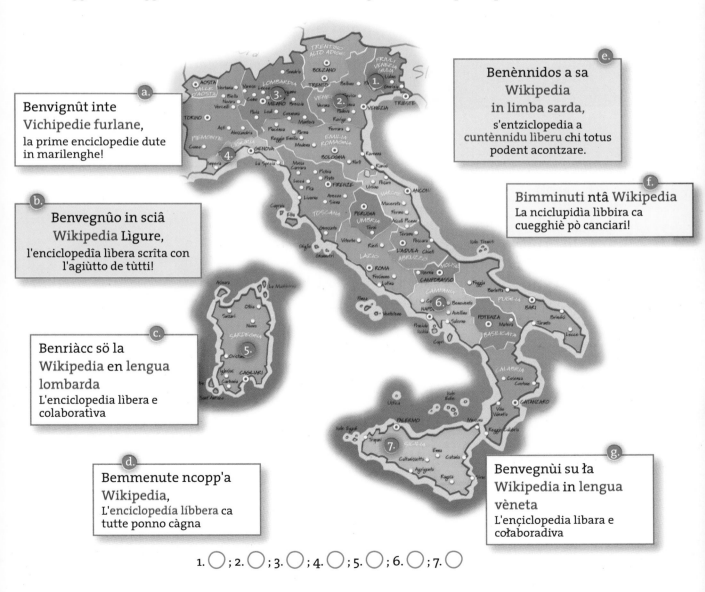

a.
Benvignût inte
Vichipedie furlane,
la prime enciclopedie dute
in marilenghe!

b.
Benvegnûo in sciâ
Wikipedia Lìgure,
l'enciclopedîa lìbera scrîta con
l'agiùtto de tùtti!

c.
Benriàcc sö la
Wikipedia en lengua
lombarda
L'enciclopedia lìbera e
colaboratìva

d.
Bemmenute ncopp'a
Wikipedia,
L'enciclopedía líbbera ca
tutte ponno càgna

e.
Benènnidos a sa
Wikipedia
in limba sarda,
s'entziclopedia a
cuntènnidu lìberu chi totus
podent acontzare.

f.
Bimminuti ntâ Wikipedia
La nciclupidìa lìbbira ca
cuegghiè pò canciari!

g.
Benvegnùi su ła
Wikipedia in lengua
vèneta
L'ençiclopedia libara e
cołaboradiva

1. ◯ ; 2. ◯ ; 3. ◯ ; 4. ◯ ; 5. ◯ ; 6. ◯ ; 7. ◯

4.3 • *Leggi i testi e inserisci i numeri al posto giusto, come negli esempi.*

a. **500 | 5.000 | ~~1.000~~ | 30.000**

Da _____ a _____euro
È il prezzo di una gondola nuova e dipende dalle decorazioni.
Ogni gondola viene fatta su misura per il gondoliere che
la dovrà portare; a Venezia ci sono circa _1.000_ gondole
e _____ gondolieri. Alcune gondole servono solo per
le competizioni sportive, altre per i matrimoni. Vengono
fabbricate nei cantieri navali chiamati *squeri*.

b.

1 | 6.000 | 2.000
___ **piazza**
L'unica piazza di Venezia è Piazza San Marco, tutte le altre si
chiamano campo, campiello o corte. Anche se non funzionano
più si possono ancora ammirare più di _____ pozzi al centro
di molti campi, una volta erano circa _____.

c. **3,2 | 2008 | ~~423~~ | 80**

_423_ **ponti**
Di questi ben _____ sono privati, uno dà accesso alla città e
solo quattro permettono di attraversare il Canal Grande, un
Canale di _____ km che attraversa tutta la città. Di questi
quattro ponti il più antico e il più famoso è sicuramente il
ponte di Rialto. Il più recente è stato progettato dall'architetto
Santiago Calatrava ed è stato inaugurato nel _____.

d.

50.000 | ~~116~~ | 4

_116_ **isole e _____ milioni di visitatori all'anno**
I residenti del centro sono poco più di _____, ma Venezia
resta una delle città più visitate al mondo, in particolare
durante il Carnevale. In poche settimane Venezia si riempie
di turisti mascherati che rievocano i costumi tradizionali
della città. Qui è nata anche la commedia dell'arte, un tipo di
teatro improvvisato che si basa su alcuni personaggi fissi detti maschere. Una delle maschere
di commedia dell'arte più famose di Venezia è *Pantalon*, un vecchio commerciante avaro e
antipatico.

testi adattati da *venice.it*

parte 5 Culture a confronto

5.1 • *Un autore americano descrive una scena vista in un bar a Roma simile a quella della storia. Leggi il suo racconto e associa ogni parola in grassetto alla spiegazione corrispondente, come nell'esempio.*

Una mattina mi trovavo in un bar, quando tre operai in tuta blu entrarono e si avvicinarono al banco per ordinare il caffè. Dopo un minuto, uno di loro cominciò a **percuotere** un altro sul petto, parlando animatamente di qualcosa, mentre il terzo agitava **scompostamente** le braccia, produceva **lugubri** lamenti e **barcollava** come se non riuscisse a respirare. Pensai che da un momento all'altro ci sarebbe stato uno **spargimento di sangue**, finchè non mi resi conto che stavano semplicemente discutendo della qualità del gol realizzato dall'Italia contro il Belgio la sera precedente o di una **Fiat Tipo** o di qualcos'altro ugualmente **innocuo**. Dopo qualche istante, bevvero i loro caffè e uscirono insieme **felici come pasque**.
Che meraviglioso paese!

da Bill Bryson, *Una città o l'altra*

1. strage / spargimento di sangue _____
2. era senza equilibrio / _____
3. in maniera incontrollata / _____
4. macchina popolare / _____
5. molto contenti / _____
6. non grave / _____
7. spaventosi / _____
8. battere / _____

5.2 • *Sapevi che ogni popolo ha la sua misura dello spazio personale? Completa il testo scegliendo l'opzione corretta.*

Come gli animali, abbiamo un nostro territorio e lo stabiliamo in ogni luogo in cui ci troviamo: da casa nostra, **al nostro banco / alla nostra banca** di scuola o alla nostra scrivania sul lavoro fino allo scompartimento sul treno o allo spazio che circonda l'ombrellone quando siamo **in montagna / in spiaggia**. La distanza in base a cui l'uomo regola i rapporti interpersonali è detta *spazio vitale* o *prossemico*: possiamo immaginarla come **una bolla di sapone / un castello in aria** che ci avvolge in ogni direzione. Ogni tentativo di entrare in questo spazio, provoca una pressione che può essere fastidiosa o sgradevole.

Se saliamo su un treno, non andiamo nel primo **scompartimento / dipartimento** che troviamo, ma andiamo a cercarne uno libero: se ci troviamo già nello scompartimento mettiamo borse e valigie sui posti **occupati / disponibili** vicino a noi, in modo da tenere lontani gli altri. Anche a tavola esprimiamo l'istinto del possesso territoriale; senza accorgecene, dividiamo il tavolo in due zone: se qualcuno, ad esempio, beve e poi poggia il **piatto / bicchiere** nella nostra zona, avvertiamo un senso di **fastidio / fortuna**.

Inoltre, lo spazio prossemico personale varia da cultura a cultura: è molto **esteso / ridotto** nei popoli dei paesi caldi, in cui arriva quasi al contatto fisico; è, invece, molto **ampio / finito** nei paesi freddi. Da questa diversità, nascono dei problemi nei rapporti fra diverse culture; l'uno può trovare l'altro **appiccicoso / salato** e, viceversa, l'altro può ritenere il primo **cordiale / freddo**.

Quando le persone si avvicinano l'una all'altra, modificano tutto il loro comportamento; così si riducono **gli sguardi / i panorami**, la voce si fa più bassa e gradualmente spariscono i gesti e aumentano i contatti fisici.

adattato da *linguaggio del corpo.it*

5.3 • *Completa lo schema rappresentando lo spazio personale in Italia e nel tuo paese. Devi inserire i personaggi alla distanza corrispondente in entrambe le situazioni, come nell'esempio. Confronta il tuo risultato con un compagno.*

IN ITALA   **IN** [ ]

PARENTI   AMICI   CONOSCENTI   SCONOSCIUTI

5.4 • *Rispondi alle domande e parla con un compagno delle abitudini legate al dialetto e allo spazio personale in Italia e nel tuo paese.*

Nel tuo paese le persone parlano più lingue?

È possibile che qualcuno parli un dialetto così diverso dal tuo che tu non riesca a capire cosa sta dicendo? Che lingua si usa in quel caso?

Hai mai avuto contatti con la differenza fra i vari dialetti italiani?

Ti è capitato di pensare che gli italiani siano appiccicosi perché hanno uno spazio personale più ristretto rispetto al tuo? O pensi che siano freddi e distanti rispetto al tuo paese?

UNITÀ 16 – BUROCRAZIA

parte 1 **Per cominciare**

1.1 • *Leggi l'antefatto e rispondi alle domande.*

Che cosa può succedere? Fai un'ipotesi usando le parole della lista, ma attenzione: una parola non è collegata alla storia.

NEGOZIO   DENUNCIA   CARABINIERI   SOLDI

ARRESTO   DOCUMENTO   CUGINO

Ora leggi la storia e verifica la tua ipotesi.

BUROCRAZIA

COOOSA?! MA PERCHÉ?

ABBIAMO APPENA ARRESTATO UNA PERSONA, IN CASERMA NON CI POSSONO ESSERE CIVILI QUANDO PORTIAMO QUALCUNO IN STATO DI ARRESTO. TORNI DOMANI.

L'INDOMANI...

BUONGIORNO. HO BISOGNO DI UNA NUOVA SIM. ECCO LA DENUNCIA DI SMARR...

Documento.

QUALE DOCUMEN...

Il-Suo.

MA NON ME LO POTEVA DIRE IERI? HO SOLO BISOGNO DI UNA NUOVA...

È-necessario presentare-un documento.

IL GIORNO DOPO...

ECCO. DENUNCIA E DOCUMENTO.

È-un-documento straniero.

PAF

E QUINDI?!

Quindi-deve-andare-in-questura-e richiedere-un-permesso-temporaneo, poi-deve-andare-al-Suo-consolato-e richiedere-un-certificato-di-non-italianità, poi-deve-allegare-l'indirizzo-di-ogni-casa in-cui-ha-vissuto-nel-mondo-e-provare di-saper-usare-un-telefono. Tutti-questi documenti-vanno-timbrati-puliti-stirati e-portati-qui-e-deve-venire-con-un cavallo-bianco...

QUELLA SERA, A CASA...

HAI POI RISOLTO CON IL TELEFONO?

QUALE TELEFONO? E POI A CHE SERVE IL TELEFONO? A CHE SERVE PARLARE? A CHE SERVE TUTTO?

parte 3 — Capire il fumetto

3.1 • *Abbina i passaggi che compongono la vicenda.*

◯ 1. Val è andato al negozio di telefonia per chiedere una nuova SIM...

◯ 2. Val è andato dai Carabinieri a fare una denuncia di smarrimento...

◯ 3. Val è tornato al negozio con la denuncia...   ma...

◯ 4. Val è tornato al negozio con denuncia e documento...

◯ 5. Il documento di Val è necessario per richiedere una nuova SIM...

a. mentre era lì in attesa hanno fatto un arresto e così è dovuto tornare il giorno dopo.

b. visto che è straniero deve portare tutta una serie di documenti.

c. l'impiegata gli ha detto che prima doveva fare una denuncia di smarrimento.

d. l'impiegata gli ha detto che doveva portare anche un documento d'identità.

e. aveva un documento straniero.

3.2 • *Abbina ogni espressione di Val allo stato d'animo corrispondente.*

◯ a. Panico causato dalla prospettiva di dover ripetere una lunga e inutile attesa.

◯ b. Crisi esistenziale profonda, perdita di fiducia nell'umanità.

◯ c. Serenità derivata dalla convinzione ingenua di poter risolvere facilmente un problema.

◯ d. Stupore di fronte alla mancanza di professionalità di un perfido burocrate.

◯ e. Moderata perplessità accompagnata ancora da fiducia nel fatto che qualsiasi ostacolo burocratico sia di facile soluzione.

◯ f. Odio profondo e desiderio di incenerire l'avversario.

3.3 • *Qui sotto ci sono le richieste dell'impiegata della compagnia dei telefoni. Leggile e segna quelle assolutamente verosimili (AV), abbastanza inverosimili (AI), completmente inverisimili (CI).*

		CI	AI	AV
1.	Avere un documento di identità valido.	☐	☐	☐
2.	Dimostrare di saper usare un telefono.	☐	☐	☐
3.	Fare un'autocertificazione con l'indirizzo di ogni casa in cui ha vissuto nel mondo.	☐	☐	☐
4.	Ogni documento deve essere lavato e stirato.	☐	☐	☐
5.	Ogni documento deve essere originale e timbrato.	☐	☐	☐
6.	Portare il permesso di soggiorno.	☐	☐	☐
7.	Portare un documento del proprio consolato.	☐	☐	☐
8.	Portare una denuncia di furto.	☐	☐	☐
9.	Portare una denuncia di smarrimento.	☐	☐	☐
10.	Tornare all'ufficio con un cavallo bianco.	☐	☐	☐

3.4 • *Guarda gli esempi e completa la regola scegliendo la parola più appropriata.*

La congiunzione *ma* si usa per collegare due **frasi / soggetti**. Se usata da sola però, può **aggiungere / togliere** significato al discorso esprimendo ironia ("*Ma bravo!*"), meraviglia ("*Ma non potevi dirlo prima?*") o per rafforzare il senso della frase ("*Ma che dici?*").

Osserva queste frasi. Sono tutte corrette, ma solo in cinque è possibile aggiungere un "ma" secondo gli usi che abbiamo visto nella regola. In quali frasi?

1. _____ perché devo lavarli io i piatti? L'ho già fatto ieri!
2. _____ mi puoi passare il sale, per favore?
3. _____ che brutto che è questo vestito! Domani lo riporto al negozio.
4. Ti hanno detto che il compito non era fatto bene? _____ perché?
5. _____ mi sa che il mio orologio si è fermato. Che ore sono?
6. Stasera andate a mangiare la pizza con l'ananas? _____ che delizia!
7. _____ certo che puoi stare da noi quando vieni a Firenze! Non devi neanche chiederlo.
8. _____ mi sveglio alle 6 tutti i giorni per andare al lavoro.

parte 4 Approfondiamo: lingua e cultura

4.1 • *Quali sono le differenze fra Polizia e Carabinieri? Leggi il testo e poi fai l'attività che segue.*

La Polizia di Stato dipende direttamente dal Dipartimento della pubblica sicurezza del Ministero dell'Interno. In ogni città c'è un ufficio centrale, chiamato questura, da cui dipendono i commissariati che si trovano nei quartieri. La polizia si occupa di prevenire i crimini svolgendo una funzione di pattugliamento delle strade, di controllare i carcerati all'interno delle strutture penitenziarie e di mantenere l'ordine durante le manifestazioni musicali, sportive o di altro tipo. Anche l'Arma dei Carabinieri dipende dal Ministero degli Interni come supporto alla polizia locale nel mantenere l'ordine pubblico, ma può operare anche come corpo militare, svolgendo missioni all'estero. L'Arma è stata fondata nel 1814 da Vittorio Emanuele I re di Sardegna che voleva una forza militare ispirata alla Gendarmeria francese, mentre la Polizia di Stato è nata nel 1848. Hanno una diffusione molto diversa sul territorio: i Carabinieri sono presenti nei piccoli centri, mentre la Polizia ha una diffusione meno capillare e una struttura diversa. Nella cultura popolare i Carabinieri sono sempre stati visti come personaggi sprovveduti e ottusi e sono protagonisti di numerose barzellette.

adattato da *supereva.it*

Segna se queste affermazioni si riferiscono alla Polizia di Stato (P), all'Arma dei Carabinieri (C) o a entrambe (E).

	P	C	E
1. Si trova nei piccoli centri.	☐	☐	☐
2. Risponde al Ministero degli Interni.	☐	☐	☐
3. Si occupa di mantenere l'ordine quando si riuniscono molte persone.	☐	☐	☐
4. È organizzata in commissariati e questure.	☐	☐	☐
5. Partecipa a missioni militari all'estero.	☐	☐	☐
6. È stata fondata nel XIX secolo.	☐	☐	☐
7. È un'organizzazione militare.	☐	☐	☐

4.2 • *La parola "burocrazia" è spesso accompagnata dall'aggettivo "kafkiana", ma perché? Leggi la spiegazione e inserisci le parole mancanti.*

assurdo | consueti | opere | sensazione | sinonimo

L'aggettivo "kafkiano" deriva da Franz Kafka (1883 - 1924), scrittore praghese e autore di _____ importanti come *La metamorfosi* e *Il processo*. Ed è proprio dalla lettura di questi due romanzi, pubblicati nei primi del '900, che "kafkiano" diventa _____ di paradossale, allucinante, _____. In seguito al successo dei libri, "kafkiano", ha assunto il significato con cui è usato oggi, cioè la _____ di trovarsi all'improvviso in un mondo in cui i _____ modi di pensare e di comportarsi non funzionano più.

adattato da *focus.it*

Franz Kafka

4.3 • *Leggi il testo e indica quale di questi tre oggetti è descritto nella parte in* azzurro.

 a.

 b.

 c.

COL VELOCIPEDE A INSEGUIRE IL RESTO DEL MONDO
Un peso insopportabile tra il ridicolo e il disastro

"Può essere una ruota triangolare, rettangolare o quadrata?" si chiedevano **smarriti** ❶ gli italiani. No, ha risposto la Legge: la ruota deve essere rotonda. "*La superficie di rotolamento della ruota deve essere cilindrica senza spigoli, sporgenze o discontinuità.*": pare impossibile, infatti, che persone che vivono in un'epoca di passaggio tra il Ventesimo e il Ventunesimo secolo possano vivere immerse in due universi paralleli. Che possano usare il telefonino, accendere col telecomando la tivù ultrapiatta, andare da Milano a Roma in tre ore su un **Frecciarossa** ❷ e insieme scrivere testi così: *I velocipedi sono i veicoli con due o più ruote funzionanti a propulsione esclusivamente muscolare, per mezzo di pedali o di analoghi dispositivi, azionati dalle persone che si trovano sul veicolo.* Ogni testo burocratico è la **sprezzante** ❸ rivendicazione di una diversità. L'esistenza di due lingue opposte: una delle persone normali e una della **setta** ❹ degli **imbrattacarte** ❺. Sarebbero **uno spasso** ❻, queste leggi italiane, se tutte insieme, nella loro **demente** ❼ **insensatezza** ❽, non pesassero come **macigni** ❾ sulla nostra vita quotidiana, i nostri cittadini, le nostre istituzioni, la nostra economia. L'ultima a ricordarcelo è stata l'Europa. Con un dossier che ha spinto il "Corriere della Sera" a dedicare al tema il titolone di prima pagina: La burocrazia frena l'Italia.

adattato da Gian Antonio Stella, Bolli, sempre bolli, fortissimamente bolli

Ora abbina le parole numerate ai sinonimi qui sotto, come nell'esempio.

◯ arrogante ◯ confusi ◯ pietre ◯ stupida
◯ assurdità ◯ molto divertente ◯ società segreta ◯ treno veloce
◯ burocrati

4.4 • *Il linguaggio burocratico non riguarda solo le leggi. Aiuta Val a decifrare l'annuncio che ha sentito in stazione riordinando la "traduzione" in italiano di tutti i giorni.*

INVITIAMO I SIGNORI PASSEGGERI A DISPORSI SUL MARCIAPIEDE IN BASE ALLA POSIZIONE DELLA CARROZZA RELATIVA AL LIVELLO DI SERVIZIO ACQUISTATO INDICATO DAI MONITOR E AD AGEVOLARE LA DISCESA DEI VIAGGIATORI IN ARRIVO.

EH?!

◯ a. Puoi aspettare il treno nel punto in cui si fermerà la carrozza, basta che guardi i monitor.
◯ b. ma lascia passare le persone che devono scendere.
◯ c. Quando il treno arriva, non avere fretta di salire
◯ d. Caro viaggiatore, controlla sul biglietto il numero della carrozza in cui dovrai salire.

parte 5 Culture a confronto

5.1 • *Leggi il testo e abbina le parole in **grassetto** al sinonimo corrispondente.*

Gli italiani non hanno idea di cosa sia l'ordine. Vivono le loro vite in una specie di **pandemonio**, che personalmente trovo molto affascinante. Non fanno la fila, non pagano le tasse, non arrivano in orario agli appuntamenti, non credono nelle regole. Sui treni italiani ogni finestrino reca una targhetta su cui è scritto in tre lingue di non sporgersi. Le scritte in francese e in tedesco **ingiungono perentoriamente** di non farlo, ma quella in italiano si limita a suggerire che sporgersi potrebbe non essere una buona idea. Difficilmente potrebbe essere altrimenti.

> È PERICOLOSO SPORGERSI
> NE PAS SE PENCHER AU DEHORS
> NICHT HINAUSLEHNEN

[...] All'epoca del mio viaggio, gli italiani erano alle prese con il loro quarantottesimo governo in quarantacinque anni. Il paese vanta la struttura sociale di una **repubblica delle banane**, eppure ciò che lascia stupefatti è che **prospera**. Ora è la quinta maggiore economia del mondo, il che costituisce un risultato semplicemente **sbalorditivo** considerato questo disordine cronico. Se gli italiani possedessero l'etica del lavoro dei giapponesi, potrebbero essere i padroni del pianeta. Grazie al cielo non ce l'hanno. Sono troppo occupati a spendere le loro **considerevoli** energie nelle piacevoli minuzie della vita quotidiana - per i figli, per il buon cibo, per discutere nei caffè -, proprio come dovrebbe essere.

[...] Una mattina mi recai al museo di Villa Borghese, ma quando arrivai l'edificio era ancora **ingabbiato** dai **ponteggi** e coperto da lamiere ondulate e non sembrava per nulla pronto ad accogliere il pubblico. Erano passati cinque anni dalla sua chiusura e tre dalla prevista riapertura. Dev'essere **esasperante** vivere con questo genere di costante **inaffidabilità** ma ben presto s'impara a considerarla una parte naturale della vita, come il brutto tempo in Inghilterra.

da Bill Bryson, *Una città o l'altra*

1. **pandemonio**
   a. ☐ confusione
   b. ☐ religione

2. **sono allettati**
   a. ☐ sono invogliati
   b. ☐ sono riposati

3. **ingiungono**
   a. ☐ collegano
   b. ☐ ordinano

4. **perentoriamente**
   a. ☐ in modo deciso
   b. ☐ per sempre

5. **repubblica delle banane**
   a. ☐ paese del clima caldo
   b. ☐ stato poco organizzato

6. **prospera**
   a. ☐ ha successo
   b. ☐ ha sfortuna

7. **sbalorditivo**
   a. ☐ noioso
   b. ☐ sorprendente

8. **considerevoli**
   a. ☐ grandi
   b. ☐ pensierose

9. **ingabbiato**
   a. ☐ obbligato
   b. ☐ chiuso in una gabbia

10. **ponteggi**
    a. ☐ piccoli ponti
    b. ☐ impalcature

11. **esasperante**
    a. ☐ riposante
    b. ☐ frustrante

12. **inaffidabilità**
    a. ☐ mancanza di certezze
    b. ☐ mancanza di sostegni

Secondo te, l'opinione dell'autore sull'Italia è positiva o negativa? Perché?

5.2 • *L'Italia non è l'unico paese in cui esistono regole complicate e leggi assurde. Collega le frasi per completare alcune delle leggi più strane, come nell'esempio.*

1. Nella città di Baltimora negli Stati Uniti è proibito portare...
2. In Russia si rischiano multe salate se si guida...
3. In Georgia i proprietari di galline devono fare in modo che...
4. In Svizzera è illegale tirare lo sciaquone dopo le 10 di sera...
5. A Singapore sono proibite tutte le gomme da masticare...
6. Secondo il codice della strada messicano, i ciclisti devono sempre tenere i piedi sui pedali...

a. una macchina sporca.

b. ma solo nei condomini.

c. un leone al cinema.

d. non attraversino la strada da sole, altrimenti rischiano una multa.

e. perché altrimenti potrebbero cadere.

f. che non siano a scopo medicinale.

da cbc.ca

5.3 • *Rispondi alle domande e parla con un compagno delle abitudini legate alla burocrazia in Italia e nel tuo paese.*

Secondo te la burocrazia italiana è più o meno efficiente di quella del tuo paese?

Nel tuo paese è più semplice avere a che fare con la burocrazia se conosci qualcuno che ti può aiutare?

Ti è mai capitato di dover presentare una lunga lista di documenti? In che occasione?

Ripensa al testo del punto 5.1, sei d'accordo con il giudizio dell'autore sull'Italia?

Sei mai finito in una situazione kafkiana a causa della burocrazia? Racconta la tua esperienza!

UNITÀ 17 – AMORE DI MAMMA

1.1 • *Chi pronuncia queste frasi? Abbina ogni fumetto alla situazione corrispondente.*

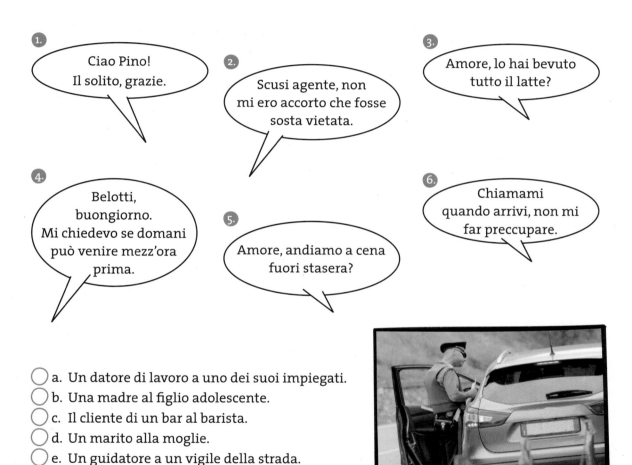

1. Ciao Pino! Il solito, grazie.

2. Scusi agente, non mi ero accorto che fosse sosta vietata.

3. Amore, lo hai bevuto tutto il latte?

4. Belotti, buongiorno. Mi chiedevo se domani può venire mezz'ora prima.

5. Amore, andiamo a cena fuori stasera?

6. Chiamami quando arrivi, non mi far preccupare.

- a. Un datore di lavoro a uno dei suoi impiegati.
- b. Una madre al figlio adolescente.
- c. Il cliente di un bar al barista.
- d. Un marito alla moglie.
- e. Un guidatore a un vigile della strada.
- f. Una madre al figlio piccolo.

1.2 • *Questo è un riassunto della storia che stai per leggere, scritto con gli emoji. Riesci a interpretarlo?*

12:14 ✓✓

Ora leggi la storia per verificare la tua ipotesi.

AMORE DI MAMMA

IN ITALIA NON È RARO TROVARE ADULTI CHE VIVONO ANCORA CON I GENITORI, È IL COSIDDETTO FENOMENO DEI "MAMMONI".

QUESTO NEL MIO PAESE SAREBBE IMPENSABILE! DA CHE COSA DIPENDE?

BE', A VOLTE È UN PO' PER PIGRIZIA, A VOLTE È PER DIFFICOLTÀ ECONOMICHE...

A VOLTE DIPENDE ANCHE UN PO' DALLA MAMMA!

SMACK

FINE!

parte 3 — Capire il fumetto

3.1 • *Val ha scritto dei messaggi a sua madre per raccontarle quello che è successo. Riordina la conversazione, come nell'esempio.*

1. (c) Ma secondo te, da noi, sarebbe normale che un uomo di 36 anni sia ancora a casa dalla madre?

a. 36?! Sì, qui da noi sarebbe decisamente strano. Forse non lavora?

2. ◯ Oggi ho conosciuto il cugino di Piero. È simpaticissimo, ma quando mi sono accorto che sta ancora dai suoi sono rimasto a bocca aperta.

b. Ma quanti anni ha?

3. ◯ 36.

c. No, direi di no. Perché?

4. ◯ No, no. Fa l'ingegnere. Se volesse prendersi una casa in affitto, potrebbe.

d. E perché non lo fa?

5. ◯ Piero mi ha spiegato che qui in Italia tante persone preferiscono comprare direttamente una casa, ma per farlo prima devono "sistemarsi".

e. E che significa?

3.2 • *Come risponderesti alla domanda che fa la madre di Val? Che significa "sistemarsi"? Scegli una di queste quattro possibilità.*

◯ 1. Finire gli studi, avere un lavoro fisso, sposarsi.

◯ 2. Condurre una vita regolare, non bere e non fumare.

3.3 • *Nel corso della visita, la zia di Piero si rivolge al figlio in modo molto affettuoso, tanto che Val pensa che si tratti di un bambino. Prova a trasformare queste frasi in modo da rendere chiaro che si rivolgono a un adulto, come nell'esempio.*

a. "Siete venuti a trovare il cuginetto di Piero?"	
b. "Oggi è rimasto a casa perché gli fa un po' male il pancino."	Oggi è rimasto a casa perché non si sente bene.
c. "Lo hai bevuto tutto il latte, amore? Vuoi qualcos'altro?"	
d. "Però copriti se non stai bene. Ti vado a prendere la sciarpina?"	

3.4 • *Guarda gli esempi e completa la regola.*

bamb**ino** → bambin**etto**
(non *bambinino)

fazzol**etto** → fazzolett**ino**
(non *fazzolettetto)

La scelta del suffisso viene dalla consuetudine e non è prevedibile. Le parole che terminano in *-ta, -te, -to* adottano di preferenza il suffisso _____, mentre le parole che terminano in *-ino* adottano il suffisso _____.

Ora completa la griglia con il diminutivo corrispondente.

1. berretto _____
2. biscotto _____
3. braccialetto _____
4. ciabatta _____
5. contratto _____
6. fetta _____

7. mandarino _____
8. mulino _____
9. giardino _____
10. rubinetto _____
11. spina _____
12. bambino _____

3.5 • *In italiano i diminutivi si possono usare anche con i nomi di persona. Modifica questi nomi con un diminutivo in -ino/a o -etto/a, come negli esempi.*

1. Peppe — Peppino
2. Leonardo _____
3. Roberto _____
4. Carlo _____
5. Piero _____
6. Giacomo _____
7. Riccardo _____
8. Tommaso _____

9. Giulia _____
10. Giorgia _____
11. Paola _____
12. Chiara — Chiaretta
13. Anna _____
14. Francesca _____
15. Laura _____
16. Michela _____

Il tuo nome si può tradurre in italiano? Potrebbe avere un diminutivo?

3.6 • *Leggi di nuovo il testo e completa la regola.*

ECCOMI. LO HAI BEVUTO TUTTO IL LATTE, AMORE? VUOI QUALCOS'ALTRO?

?

NO, MA', GRAZIE.

Nella ligua **parlata / scritta** è abbastanza comune ripetere l'oggetto che viene sostituito da un pronome. Si può fare sia all'inizio che alla fine della frase e si usa per dare **meno / più** risalto a un elemento del discorso.
Es. Lo hai bevuto tutto il latte? /
Il latte lo hai bevuto tutto?
A Roma ci andiamo domani? /
Ci andiamo domani a Roma?

 **parte 4** Approfondiamo: lingua e cultura

4.1 • *I forum sull'amore in Italia sono pieni di messaggi di donne che si lamentano del marito mammone. Sotto a questo post ci sono tre risposte a tema e una fuori luogo. Qual è quella fuori luogo?*

Marito mammone?!

 Lina91
27 maggio alle 17:26

Salve a tutte, ho bisogno di un vostro parere. Faccio una premessa: sono sposata da un anno ed entrambe le nostre mamme sono vedove da 7 anni. Dunque, mio marito lavora in città, sicché prima di andare al lavoro passa a trovare la madre. Poi, quando esce dal lavoro passa di nuovo a trovare la madre, per circa 5-10 minuti, non voglio esagerare. Poi nel tardo pomeriggio verso le 19 altra visitina, questa volta più lunga, una mezz'ora. Poi alle 21, dopo cena, telefonata della buonanotte. Ma dico: non sarà un tantino esagerato?

 Ninetta
27 maggio alle 17:41

Decisamente esagerato, a meno che tua suocera non abbia qualche serio problema fisico o mentale.
Ne hai parlato con lui vero?

 Ciambella
27 maggio alle 17:46

Inizia a non essere più sempre disponibile, fagli sentire la tua mancanza. È normale, comunque, che col tempo le cose cambino. Però alterna le uscite con lui a quelle con le amiche dove non ti fai sentire per tutta la giornata... vedrai che tornerà da te in ginocchio.

 Margherita
27 maggio alle 17:59

Ciao. Non ci vedo niente di male, in fondo va a trovare sua madre, non l'amante. La mamma non ci sarà per sempre, inoltre è sola. Io spero che i miei figli un domani si ricordino ancora di avere una mamma. Un po' di empatia…

 Miriam_89
27 maggio alle 18:30

Per il bene del tuo matrimonio ti conviene non farti sopraffare dall'amore, tantomeno dall'educazione e dal rispetto per tua suocera.
Fissa subito paletti ben precisi. Non creare precedenti perché più vai avanti, peggio è. Dopo diventano abitudini scontate. Se devi scontrarti fallo da subito. Con gli anni e con l'arrivo dei figli sarà sempre peggio. Te lo dico perchè ci sono passata.

adatto da *alfemminile.com*

Quale ti sembra il consiglio migliore? Tu cosa risponderesti? Scrivi una breve risposta!

_____

_____

_____

4.2 • *E i padri? In un monologo di Mattia Torre si parla con ironia del ruolo dei padri in Italia.*
Leggi questo estratto e fai gli esercizi.

I FIGLI TI INVECCHIANO

I figli ti invecchiano anche perché quando arrivano al mondo mettono fine con violenza **inaudita ①** a quella stagione di aperitivi, feste e possibilità che ti sembravano il senso stesso della vita. I figli si insinuano nella tua mente in modo **subdolo ②** e perverso. Se sei con loro ti **soffocano ③**, se non ci sono ti mancano. Ci è successo di voler scappare dopo troppe ore insieme a loro e poi trascorrere la serata in un ristorante a guardare le foto sul telefonino **straziati ④** da una nostalgia senza senso perché li avremmo rivisti dopo un'ora, un'ora e mezza.

I figli alla fine ti invecchiano perché sei già vecchio. In paesi dinamici ed evoluti, i genitori hanno 25 anni sono forti, flessibili, giustamente incoscienti.

Qua se diventi padre intorno ai 35, 36, 38 anni , tra gli altri genitori del **nido ⑤** vieni detto "il giovane". Intorno a me padri di 50-60 anni con lo sguardo spento, la **lombalgia ⑥** e l'alito **cimiteriale ⑦** di chi non dorme da mesi. Ma più di tutto conta ciò che i figli fanno alla tua mente. Ti fanno **ripiombare ⑧** con forza nel tuo passato. L'odore degli alberi alle 8:00 del mattino prima di entrare a scuola, la simmetrica precisione dell'astuccio la catena sporca della bici, le merendine, la ghiaia, le ginocchia sbucciate.

Questi ricordi, non so dire perché, sono la **mazzata ⑨** finale. La vita stessa che credevi di avere incasellato in categorie discutibili ma tutto sommato valide o comunque tue, sfugge via. Sei un pezzo di un grande ingranaggio e siccome siamo in Italia l'ingranaggio è vecchio, è arrugginito e si muove a fatica. Ma d'altra parte il tuo cuore non è mai stato così grande.

Abbina i numeri delle parole in grassetto alla spiegazione corrispondente.

◯ mal di schiena	◯ combattuti	◯ colpo
◯ riportare con forza	◯ non ti lasciano spazio	◯ mai vista
◯ terribile, di morte	◯ ingannevole	◯ asilo per i bambini da 0 a 3 anni

Abbina queste immagini alle parole sottolineate nel testo.

_____   _____   _____

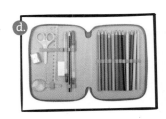

_____   _____   _____

Riesci a nominare sei cose che ti fanno "ripiombare con forza nel tuo passato"?

L'attore Valerio Mastandrea ha interpretato questo monologo in un video che è diventato virale. Cerca il video su internet e guardalo. Che tipo di rappresentazione viene data della paternità?

parte 5 · Culture a confronto

5.1 • *Queste opere d'arte di diverse epoche e di diverse culture trattano vari aspetti della maternità. Guardale e rispondi alle domande con la tua opinione o facendo delle ipotesi.*

1. In quale foto il ruolo della madre è più drammatico?
2. In quale foto il ruolo della madre è più tenero?
3. Quale di queste opere è un amuleto per le donne che vogliono avere un bambino?
4. Quale di queste opere è stata fatta da una madre?
5. Quali opere hanno subito modifiche o restauri nel corso del tempo?
6. Quale esprime meglio il tema della maternità, secondo te?

Migrant mother (Madre migrante), di Dorothea Lange, Stati Uniti, 1936

Dettaglio della *Pietà* di Michelangelo Buonarroti, Italia, 1499

Lupingu lwa Cibola (Madre con bambino) artista sconosciuto, Congo, XIX secolo

El abrazo de amor de el universo, la tierra (México), *yo, Diego, y el Señor Xolotl* (L'amoroso abbraccio dell'universo, la terra, io, Diego e il Signor Xolotl), Frida Kahlo, Messico, 1949

Die drei Lebensalter einer Frau (Le tre età della donna), Gustav Klimt, Austria, 1905

Maternal affection (Affetto materno), Edward Hodges Baily, Gran Bretagna, 1837

5.2 • *Guarda il grafico e rispondi alle domande.*

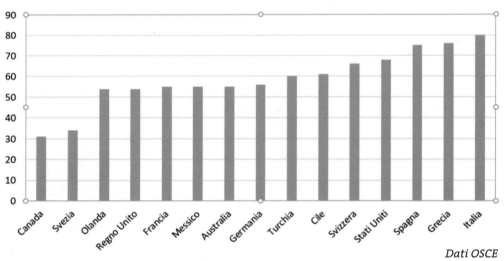

Percentuale di giovani (15-29 anni) che vivono con i genitori

Dati OSCE

1. È vero che l'Italia è un paese "mammone" rispetto agli altri paesi europei?
   _____

2. Ci sono paesi più mammoni dell'Italia fra quelli presi in esame?
   _____

3. La media OSCE è del 58%. Quali paesi sono molto al di sotto della media?
   _____

4. Cosa hanno in comune i paesi in cui si esce più tardi dalla casa dei genitori?
   _____

5. Se il tuo paese non è fra quelli indicati, dove pensi che si collocherebbe?
   _____

5.3 • *Rispondi alle domande e parla con un compagno delle abitudini legate alla famiglia in Italia e nel tuo paese.*

Nel tuo paese...

A che età si esce dalla casa dei genitori?

Come vengono viste le persone adulte che vivono insieme ai genitori?

Le madri sono note per essere particolarmente affettuose?

La suocera è una figura "mostruosa" come in Italia?

Rispetto all'Italia le famiglie ti sembrano più o meno legate?

Esiste un giorno o una festa in cui si celebra la propria madre? Ci sono usanze o tradizioni particolari legate a questa data?

Esistono canzoni popolari dedicate alla mamma?

UNITÀ 18 — MCLAMPREDOTTO

parte 1 Per cominciare

1.1 • *Il prossimo episodio è ambientato a Firenze. Quali di questi monumenti potremmo vedere?*

1.2 • *Che cosa si mangia a Firenze? Basandoti sulla definizione di wikipedia, indica quali fra questi piatti sono, secondo te, tipici della tradizione fiorentina.*

> La cucina fiorentina è caratterizzata da almeno cinque elementi fondamentali: il pane toscano; l'olio extravergine d'oliva delle colline; la carne (bistecche di manzo alla griglia, selvaggina arrostita e/o brasata col vino), i legumi come i fagioli e i ceci , e infine il vino Chianti.
>
> da *wikipedia.it*

pappa al pomodoro

capesante gratinate

ribollita

risotto al nero di seppia

pappardelle
al ragù di cinghiale

bistecca alla fiorentina

Conosci un cibo di strada che si può mangiare a Firenze? Leggi la storia per scoprirlo.

McLAMPREDOTTO

VAL E PIERO SONO A FIRENZE.

ALLORA?

AVEVI RAGIONE...

LO AVRÒ VISTO IN UN MILIONE DI FOTO, MA DAL VERO È ANCORA PIÙ BELLO!

ED ECCO I MIEI PARENTI FIORENTINI!

CIAO, PIACERE!

UN GIORNO DOVRAI SPIEGARMI DI DOVE È ORIGINARIA LA TUA FAMIGLIA!

SÌ, È UN PO' COMPLICATO!

parte 3 — Capire il fumetto

3.1 • *Indica il riassunto corretto.*

○ 1.
Val e Piero sono in gita a Firenze. Si incontrano vicino a Ponte Vecchio con dei parenti di Piero e decidono di andare a mangiare qualcosa insieme, ma devono fare in fretta perché uno di loro deve andare a casa. Val, propone di andare in un fast food americano lì vicino e tutti lo guardano perplessi. Val pensa che sia perché non hanno voglia di camminare, ma Piero gli spiega che raramente gli italiani scelgono di consumare cibo straniero se hanno la possibilità di prendere del cibo italiano.

○ 2.
Val e Piero sono a Firenze. Vicino al duomo si incontrano con degli amici di Piero e decidono di andare a mangiare qualcosa insieme, ma devono fare in fretta perché uno di loro deve andare a lavorare. Val propone di andare a mangiare in un fast food lì vicino e tutti lo guardano perplessi. Val pensa che sia perché hanno voglia di andare un po' più lontano, ma Piero gli spiega che raramente gli italiani scelgono di andare al fast food se hanno la possibilità di prendere del cibo sano.

○ 3.
Val e Piero sono in gita a Firenze. Si incontrano vicino a Ponte Vecchio con dei parenti di Piero e decidono di andare a mangiare qualcosa insieme, ma devono fare in fretta perché uno di loro deve andare a lavorare. Val, propone di andare in un fast food lì vicino e tutti lo guardano perplessi. Val pensa che sia perché non hanno voglia di camminare, ma Piero gli spiega che raramente gli italiani scelgono di andare al fast food e che preferiscono sedersi, mangiare con calma e eventualmente arrivare in ritardo al lavoro.

3.2 • *Collega le parole <u>sottolineate</u> alla loro definizione nella forma base.*

PER MOLTI ITALIANI È IMPENSABILE CONSUMARE CIBO CONFEZIONATO O DEL FAST FOOD QUANDO CI SONO ALTERNATIVE <u>ECONOMICHE</u>, <u>GUSTOSE</u> E <u>GENUINE</u>.

a. Non alterato, non sofisticato, quindi vero, schietto, autentico, naturale.

b. Piacevole al gusto, gradito al palato.

c. Che comporta una modica spesa, o che fa risparmiare.

da treccani.it

parte 4 · Approfondiamo: lingua e cultura

4.1 • *Ma cos'è il lampredotto? Leggi la descrizione e scegli le parole che lo descrivono meglio.*

Il lampredotto è un bollito di trippa, lo stomaco del bovino. A Firenze è un'istituzione, venduto per le strade della città sui "banchini dei trippai". Viene servito nel panino chiamato *semelle* con l'aggiunta, di condimenti a scelta, dal semplice sale e pepe alla classica salsa verde. La domanda finale è: "Lo vuole bagnato?" Rispondete di sì. Il cuoco tufferà così nel sugo del pentolone la parte superiore del panino, che sarà servito gustoso e gocciolante.

da *lampredotto.net*

Il lampredotto è un cibo:

◯ elaborato   ◯ povero   ◯ sano   ◯ vegetariano
◯ di strada   ◯ raffinato   ◯ tradizionale   ◯ locale

4.2 • *Le abitudini alimentari degli italiani si basano sulla* dieta mediterranea, *che nel 2010 è stata inserita dall'UNESCO nella lista del patrimonio culturale immateriale dell'umanità. Leggi la motivazione di questo riconoscimento e segna quali informazioni sono contenute nel testo.*

La dieta mediterranea comprende una serie di competenze, conoscenze, rituali, simboli e tradizioni che riguardano la coltivazione, la raccolta, la pesca, l'allevamento, la cucina e soprattutto la condivisione e il consumo di cibo. Mangiare insieme è la base dell'identità culturale e della continuità delle comunità nel bacino Mediterraneo. La dieta mediterranea enfatizza i valori dell'ospitalità, del vicinato, del dialogo interculturale e della creatività e rappresenta un modo di vivere guidato dal rispetto della diversità. Inoltre, include l'artigianato e la produzione di contenitori per il trasporto, la conservazione e il consumo di cibo, compresi piatti di ceramica e vetro. Le donne giocano un ruolo fondamentale nella trasmissione delle conoscenze della dieta mediterranea.

La dieta mediterranea è un bene immateriale transnazionale dei seguenti paesi: Cipro, Croazia, Spagna, Grecia, Italia, Marocco e Portogallo.

◯ 1. La convivialità è un aspetto fondamentale della dieta mediterranea.
◯ 2. La dieta mediterranea si basa su un alto contenuto di proteine vegetali.
◯ 3. Alcuni oggetti hanno un ruolo importante all'interno della dieta.
◯ 4. L'apporto femminile è fondamentale per il passaggio delle conoscenze fra le generazioni.
◯ 5. La dieta mediterranea è un'eredità dell'Impero Romano.

SEI UN SALAME!

In italiano ci sono molte espressioni idiomatiche in cui si usano nomi di cibi. Prova a capire il significato di alcune di queste espressioni:

essere un salame = essere **debole / un credulone**.
essere una mozzarella. = essere **pallido / noioso**.
essere come il prezzemolo. = essere **furbo / un impiccione**.

4.3° *Pier Paolo Spinazzè, un artista di Verona, ha trovato un modo originale per manifestare antifascismo e antirazzismo nella sua città. Associa a ogni domanda la risposta corrispondente.*

1. *Cibo è il tuo nome d'arte, proprio in relazione agli alimenti dei quali ti servi per proporre la tua arte. L'idea del cibo da dove trae origine?*
2. *Hai ribadito l'importanza di una presa di posizione da parte del resto degli artisti d'Italia, al fine di rimuovere tutti i messaggi d'odio presenti sui muri. Hai ricevuto sostegno?*
3. *Da anni ripulisci i muri dai simboli nazisti e dai messaggi d'odio. Da dove nasce la tua presa di posizione in qualità di artista, ma soprattutto in qualità di uomo?*

◯ a. *Credo che ognuno debba restituire qualcosa, e credo che ogni persona di cultura vorrebbe cancellare quelle scritte. Io lo so fare e lo faccio.*

◯ b. *Il cibo è stata la risposta ideale per diversi motivi, innanzitutto combatte il cattivo con il buono, poi è imparziale, apolitico e vuole mettere tutti d'accordo. Le vittorie in queste battaglie sono state ottenute perché ho saputo portare i violenti nel campo della cultura e dell'ironia. In questo modo, privati dei loro mezzi, si sono rivelati per quello che sono, e una semplice salsiccia o una cupcake, sono stati più efficaci di anni di contrapposizione diretta.*

◯ c. *Sono dieci anni che cancello schifezze dai muri, e da due ho deciso di comunicarlo, proprio per invitare anche gli altri a farlo. Ricevo tantissimo sostegno, mi mandano molte foto, però per ovvi motivi vogliono rimanere anonimi, ma il loro gesto mi fa sentire meno solo in questa battaglia cromatica e civica. Però il sostegno avviene molto di più da persone "normali", non da colleghi!*

adattato da *esauriente.it*

Il titolo di quest'opera, "Parmigiano, portami via…", è un riferimento a una famosissima canzone popolare italiana. Quale? Fai una ricerca su internet per capire il collegamento.

4.4 • *I segreti del duomo di Firenze: la cattedrale di Santa Maria del Fiore ha molte storie da raccontare. Abbina i racconti alle foto corrispondenti.*

◯ Il toro e il fornaio

Su una fiancata del duomo c'è una testa di una vacca, simbolo di tutti gli animali che hanno collaborato alla costruzione. Nella fantasia popolare però si trattava di un toro che ha dato origine a una leggenda piuttosto piccante. Uno dei costruttori era l'amante della moglie di un fornaio che abitava vicino alla chiesa. Una volta scoperta la storia, i due amanti dovettero interrompere la loro relazione. Il costruttore volle però vendicarsi e collocò la testa del toro "cornuto" (in italiano "avere le corna" significa essere tradito dal proprio partner) proprio davanti alla casa del fornaio, in modo che ogni volta che questo si affacciava dalle proprie finestre si trovasse di fronte il ricordo di quel tradimento.

◯ Il miracolo dell'albero rifiorito

San Zanobi, primo vescovo di Firenze, era amatissimo dal popolo. Molti anni dopo la sua morte, decisero di portare la bara che si trovava in un cimitero fuori città dentro alla chiesa di Santa Reparata. Era gennaio e faceva un gran freddo. Mentre passava davanti al duomo, la bara, portata a spalla, sfiorò un vecchio olmo, e l'albero come per incanto mise le foglie e rifiorì. I fiorentini accorsero da tutta la città per ammirare quel fatto straordinario e molti di loro colsero un ramoscello fiorito in onore del Vescovo, come segno augurale. In ricordo dell'episodio oggi sorge in quel luogo una colonna, detta appunto di San Zanobi.

◯ Il sogno premonitore

Un uomo di nome Anselmo soffriva di una vera e propria fobia nei confronti dei leoni e di ogni altro genere di felini, compresi i gatti domestici e sognava ogni notte di essere inseguito e ucciso da un leone. Un giorno un dottore andò a trovare Anselmo, e gli propose di prendere confidenza con dei leoni finti per curarsi. Proprio in fondo alla strada dove abitava, si affacciava una delle porte laterali del Duomo con due statue, una leonessa e un leone. Su consiglio del medico, Anselmo infilò la mano dentro alla bocca del leone. All'interno c'era uno scorpione che gli punse un dito e Anselmo morì all'istante.

◯ La caduta della palla

Nella notte del 17 gennaio 1600 un violento temporale si abbatté sulla città. Una serie di fulmini colpirono la grandiosa palla di rame dorato, opera di Andrea Verrocchio, collocata sulla sommità della cupola del Brunelleschi fin dal 1472. A causa della violenza del temporale e dei fulmini, la palla cadde dalla cima, rotolò sulla cupola fino a cadere sulla piazza. Non ci furono feriti né danni ma ci vollero due anni prima che la palla venisse ricollocata sulla cupola. Ancora oggi nella zona dietro al duomo è posta sul lastricato una lastra rotonda di marmo, a ricordo di quell'episodio.

adattato da Franco Ciarleglio,
Il canto dei bischeri

parte 5 · Culture a confronto

5.1 • *Oltre ai piatti tipici, in ogni paese si trovano bevande che sono espressione delle abitudini e dei gusti della popolazione. Completa le descrizioni con l'ingrediente mancante.*

acqua | **mango** | **tè verde** | **vino** | **zenzero**

Lassi (India)
È la tipica bevanda del Paese asiatico che viene consumata praticamente in ogni istante della giornata ed è a base di _____, yogurt e latte in cremosa armonia. Va servita rigorosamente fredda.

Sujeonggwa (Corea)
Non è altro che un infuso di spezie (cannella, _____ e pepe) con cachi secchi e pinoli che viene cotto e raffreddato. Questa bevanda dal colore rosso mattone viene servita fredda come il classico tè pomeridiano.

Mate (Argentina, Cile, Brasile)
Il Mate è la bevanda tipica del Sudamerica. Viene preparata con le foglie di yerba Mate. Seguendo lo stesso procedimento del tè, la yerba Mate viene essiccata, tagliata e sminuzzata e poi coperta con _____ bollente. Questa infusione si beve calda direttamente dal "porongo", il tradizionale recipiente che può essere realizzato con una zucca oppure in legno o in metallo.

Sangría (Spagna)
Un'altra bevanda molto amata anche in Italia è la sangría che è a base di _____, spezie e frutta. Inizialmente consumata fra i contadini portoghesi si è poi diffusa in tutta la penisola iberica. Della sangría esistono varie ricette, a seconda delle regioni.

Bubble Tea (Taiwan)
La bevanda caratteristica di Taiwan è il bubble tea. Quali sono gli ingredienti per questo drink davvero spumeggiante e particolare? Bisogna miscelare il _____ o nero con latte e sciroppo di frutta. Occorre poi versare il tutto in uno *shaker*. Infine, basta aggiungere alcune perle morbide di tapioca.

da cucina.buttalapasta.it

5.2 • *Sono centinaia le tradizioni culturali protette dall'UNESCO. Abbina questi sei patrimoni immateriali al loro paese d'origine.*

il tango

l'arte della tessitura dei tappeti

la musica reggae

il teatro kabuki

la danza zaouli

l'arte del merletto

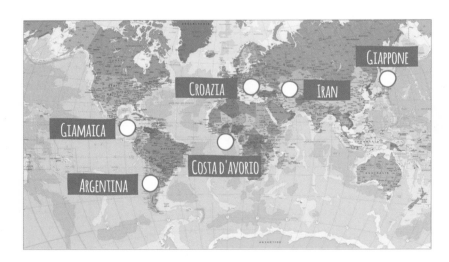

5.3 • *Rispondi alle domande e parla con un compagno delle abitudini legate al cibo in Italia e nel tuo paese.*

C'è un cibo di strada tipico della tua città / del tuo paese?

Conoscevi qualcuno dei piatti presentati al punto **5.1**? Quale ti piacerebbe provare?

Verifica se il tuo paese ha qualche "patrimonio immateriale" tutelato dall'UNESCO.
C'è qualcos'altro che secondo te andrebbe preservato in Italia o nel tuo paese?

Ripensa all'artista del punto **4.4**. Condividi il suo messaggio sul cibo come elemento positivo che può contrastare l'aggressività e il razzismo?

UNITÀ 19 - TESORI NASCOSTI

parte 1 **Per cominciare**

1.1 • *Il prossimo episodio è ambientato in Sicilia. Quale fra queste, secondo te, è la bandiera della regione Sicilia?*

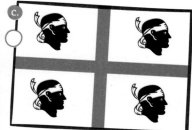

1.2 • *Leggi la descrizione della bandiera per verificare la tua ipotesi.*

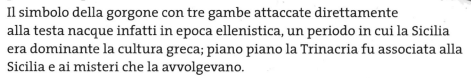

Nella bandiera siciliana campeggia in bella mostra il simbolo di una testa femminile con tre gambe piegate che escono direttamente dal capo. Questa raffigurazione prende il nome greco di Trinacria: la testa rimanda alle gorgoni, mostri della mitologia greca con serpenti al posto dei capelli.

Il simbolo della gorgone con tre gambe attaccate direttamente alla testa nacque infatti in epoca ellenistica, un periodo in cui la Sicilia era dominante la cultura greca; piano piano la Trinacria fu associata alla Sicilia e ai misteri che la avvolgevano.

La trinacria è un antico simbolo religioso orientale che rappresentava il dio del sole presente in diverse monete antiche provenienti da città dell'Asia Minore (quella che è oggi la Turchia). Sembra quindi che il simbolo si sia diffuso in occidente attraverso i greci che con le tre gambe marchiavano diverse monete fino ad arrivare a Siracusa, nella Magna Grecia. È solo in epoca romana che la trinacria perde il suo significato religioso per diventare esclusivamente il simbolo geografico della Sicilia.

In quell'epoca, a Palermo la gorgone con tre gambe appare nel suo aspetto definitivo sulle monete. Ma al posto dei serpenti, la testa della gorgone è decorata con tante spighe di grano per il ruolo di granaio che aveva la Sicilia nell'Impero Romano. Sicilia sinonimo di fertilità e prosperità.

I colori giallo e rosso, invece, stanno a rappresentare rispettivamente il coraggio delle città di Palermo e poi di Corleone, che per prime si sollevarono nel 1282 contro i francesi, che a quei tempi occupavano l'isola.

da siciliafan.it

TESORI NASCOSTI

DIECI MINUTI DOPO.

SI SPOSANO QUI?!

SÌ.

MA È BELLISSIMO!!!

EH, SÌ. ANDIAMO A CAMBIARCI, DAI. SUL RETRO C'È UNA STANZETTA CHE POSSIAMO USARE.

POCO DOPO.

COM'È POSSIBILE CHE IN UNA CITTADINA COSÌ PICCOLA CI SIANO EDIFICI COSÌ MAESTOSI?

È STATA DISTRUTTA DA UN TERREMOTO VERSO LA FINE DEL SEICENTO E POI RICOSTRUITA PIÙ BELLA DI PRIMA.

MA PENSA!... OH NO! HO PRESO LO ZAINO SBAGLIATO!

È QUELLO DI MIA CUGINA FRANCESCA! E ADESSO? NON ABBIAMO TEMPO DI CERCARE ALTRI VESTITI, E TU NON PUOI ENTRARE IN CHIESA COSÌ SCOPERTO, CON I PANTALONI CORTI E LA CANOTTIERA.

ORA PROVO AD ARRANGIARMI CON QUELLO CHE C'È QUI NELLO ZAINO.

BRAVO. E CERCA DI FARE IN FRETTA.

E COME MAI QUESTA CITTADINA NON È INVASA DA ORDE DI TURISTI? IO NON SAPEVO NEMMENO CHE ESISTESSE E ORMAI HO GIRATO L'ITALIA IN LUNGO E IN LARGO.

parte 3 — Capire il fumetto

3.1 • *Riordina le parti della storia.*

a. ○ Arrivati a Noto, Val resta senza fiato di fronte alla bellezza della cattedrale. Nel frattempo, si rende conto di aver preso lo zaino sbagliato e Piero gli conferma che è quello di sua cugina Francesca.

d. ○ Nella fretta di partire, Val non si accorge di aver preso per errore lo zaino sbagliato, e per la strada i due ragazzi chiacchierano tranquillamente del più e del meno.

b. ○ Val e Piero si trovano in Sicilia per partecipare al matrimonio di una delle cugine di Piero, Gabriella. La mattina del matrimonio, Gabriella ha bisogno che qualcuno porti le decorazioni floreali alla chiesa prima dell'arrivo degli invitati.

e. ○ Anche se i vestiti non sono adatti, Val decide comunque di arrangiarsi con quello che trova dentro lo zaino di Francesca, mentre Piero continua a spiegargli che in Italia molti monumenti e opere d'arte si trovano in piccole località. Guardando il modo in cui si è vestito Val, Piero ridacchia e dice che gli italiani amano oltre alla bellezza, anche la commedia.

c. ○ In particolare, Val si stupisce che Gabriella, pur non essendo religiosa, abbia deciso di sposarsi in chiesa. Piero spiega che non lo fa solo per far piacere ai suoi parenti che sono abbastanza tradizionalisti, ma anche perché farlo in chiesa le sembra più bello.

f. ○ Val e Piero si offrono volontari e partono per Noto, una cittadina a circa trenta chilometri di distanza. È una giornata d'estate e entrambi portano un cambio elegante da indossare sul posto.

3.2 • *In Italia è un tema abbastanza dibattuto fra le coppie che si vogliono sposare. Leggi le varie opinioni prese da alcuni forum e individua quella più simile al pensiero di Gabriella, letto nella storia a fumetti.*

MATRIMONIO IN COMUNE O IN CHIESA?

 LaDany: Secondo me non fa differenza perché basta amarsi, poi ci si può sposare anche in una di quelle chiese a Las Vegas dove al posto del prete c'è Elvis... Lascerò che decida il mio futuro marito.

 Kikka: Io sono per la convivenza, ma se proprio dovessi scegliere, sicuramente mi sposerei in comune perché sono atea.

 Giusy: Io penso che lo farò in chiesa, anche se sono anni che non ci metto piede. Il matrimonio in chiesa ha sempre il suo fascino, a prescindere dalla religione. E poi faremmo anche contenti i nostri genitori e i nonni.

 Paolé: Ho troppo rispetto verso chi crede per "usare" una chiesa addobbata a festa come location per il matrimonio da favola. Il 90% dei matrimoni in chiesa a cui sono andata era di gente che la chiesa la rivedrà il giorno del funerale...

 Anna_Panna: Sono credente e praticante e vedo il matrimonio come un sacramento, quindi non mi sono neanche posta il problema.

Con quale di questi punti di vista ti senti più d'accordo? Perché?

3.3 • *Leggi di nuovo la vignetta. Perché Val non può entrare in chiesa vestito così?*

MA PENSA!...
OH NO! HO PRESO
LO ZAINO SBAGLIATO!

È QUELLO DI MIA CUGINA FRANCESCA! E ADESSO?
NON ABBIAMO TEMPO DI CERCARE ALTRI VESTITI, E
TU NON PUOI ENTRARE IN CHIESA COSÌ SCOPERTO,
CON I PANTALONI CORTI E LA CANOTTIERA.

○ a. Perché si sentirebbe a disagio visto che tutti gli altri invitati saranno vestiti eleganti.

○ b. Perché i suoi vestiti sono sporchi e impolverati dopo il viaggio.

○ c Per motivi di decoro. Tutte le chiese cattoliche hanno un codice di abbigliamento da rispettare.

Molto spesso i turisti non pensano alle regole da rispettare in una chiesa ed è molto facile trovare cartelli come questi all'ingresso. Scrivi le regole di comportamento per ogni cartello includendo le parole date, come nell'esempio.

1. **cibi** → Vietato introdurre cibi e bevande. _____
2. **capo** → _____
3. **domestici** → _____
4. **suoneria** → _____
5. **scattare** → _____
6. **abbigliamento** → _____

parte 4 Approfondiamo: lingua e cultura

4.1 • *Leggi il testo e rispondi alla domanda.*

In Italia, l'abitudine alla convivenza con il patrimonio culturale è uno spirito che pervade ogni aspetto. Da noi la cultura non è un'etichetta appiccicata ai musei o alle opere d'arte.
È un'esperienza che rischia di produrre un'attitudine di chiusura verso il nuovo, dovuta a paure o addirittura a un eccesso di tutele.

da Andrea Kerbaker, *Progetto Italia*

Ti sembra che il testo sia simile al pensiero di Piero? In che cosa è simile e in che cosa è diverso? Confrontati con un compagno.

4.2 • *Ricostruisci l'articolo che descrive un fatto curioso avvenuto agli Uffizi.*

Firenze, 23 marzo 2014 - Galleria degli Uffizi, le 15:30 di ieri. Turisti e appassionati di arte sfilano davanti alle opere di incommensurabile bellezza e valore. Tappa obbligata la «Nascita di Venere» del Botticelli, una delle opere più famose e amate nel mondo.

○ a. Arrivano i carabinieri della vicina stazione «Pitti» e portano il turista in caserma. Il giovane ha circa 25 anni. I carabinieri chiamano un avvocato d'ufficio e lo interrogano – l'ipotesi di reato è atti osceni – per poi rilasciarlo.

○ b. Un giovane uomo, il sorriso un po' nervoso, strano, inebetito, comincia a togliersi la giacca, poi la camicia, fino a restare completamente nudo davanti al capolavoro di Afrodite ritratta nuda anch'essa, su una conchiglia che solca il mare.

○ c. Lui non se ne cura, piuttosto si preoccupa di sapere se la scena è stata ripresa dalle telecamere di sorveglianza. Non è chiaro se il giovane si è abbandonato all'estasi o se il suo gesto è stato studiato, voluto e organizzato ben oltre quella che va sotto il nome di sindrome di Stendhal.

○ d. Bloccano il visitatore, lo coprono con un telo e gli dicono di rivestirsi. Per fortuna i timori di un gesto inconsulto contro il capolavoro vengono subito messi da parte. L'uomo viene tenuto dai due custodi in una sala vicina.

○ e. Il giovane ha le mani tinte di rosso e da una piccola borsa estrae e lancia in aria petali di rosa: «Questa è poesia, questa è poesia» sussurra in un italiano stentato. Gli fanno capannello intorno altri visitatori sbigottiti. Gli "uh, uh" di sorpresa si fanno via via più intensi e richiamano dalle altre stanze due custodi, un uomo e una donna.

da lanazione.it

Il giovane turista dell'articolo è in realtà l'artista spagnolo Adrián Pino Olivera che ha ripetuto performance simili in diverse occasioni, sia in Italia che all'estero. Lo fa all'interno del Progetto V, "una serie di nudi artistici nei musei come viaggio rituale alla ricerca della bellezza". Condividi la ragione delle sue azioni? Fino a che punto ti spingeresti per "la ricerca della bellezza"?

4.3 • *L'articolo al punto* **4.2** *menziona la Sindrome di Stendhal. Hai mai sentito questa espressione? Completa il testo con le parole mancanti.*

bellezza | **allucinazioni** | **Firenze** | **tachicardia** | **straniera** | **visita** | **straordinarie**

La Sindrome di Stendhal è un disturbo psichico transitorio di tipo emotivo che si manifesta con vertigine, stato confusionale, _____, svenimento, senso di irrealtà e a volte _____ visive, in persone che si trovano davanti a opere d'arte di particolare _____. Detta anche Sindrome di _____, per la città in cui si registrano più casi, è piuttosto rara e colpisce principalmente persone di particolare sensibilità e di nazionalità _____, mentre gli italiani ne sono addirittura immuni per "affinità culturale", in quanto abituati a vivere circondati da _____ bellezze artistiche. La Sindrome di Stendhal deriva il suo nome dallo scrittore francese che ne è stato colpito nel 1817 durante la sua _____ alla Basilica di Santa Croce a Firenze.

da biografieonline.it

4.4 • *Nella storia, Piero e Val sono andati a Noto, una piccola città della Sicilia che è patrimonio dell'umanità. Leggi i testi su Noto e altre piccole località protette dell'UNESCO completandoli con le frasi mancanti.*

a. che le conferiscono la sua straordinaria forma a stella a nove punte

b. che distrusse completamente interi centri abitati

c. che rappresenta il culmine dell'arte e dell'architettura del Rinascimento

d. comprendendo anche la stalla, la cantina e la cisterna

1. Le otto **città tardo barocche della Val di Noto** si trovano nel sud est della Sicilia. Tutte furono ricostruite dopo il terribile terremoto del 1693, ◯ , devastando completamente la memoria urbanistica della zona. Il volto attuale di quest'area dell'Isola è dunque il risultato di una ricostruzione di città pensate come opere d'arte. I sontuosi ed eleganti palazzi, le chiese dai preziosi interni e dalle stupefacenti facciate rappresentano una delle massime espressioni al mondo del Tardo Barocco europeo.

2. **I Sassi di Matera** si trovano in Basilicata, nell'Italia meridionale e comprendono un complesso di case, chiese e monasteri costruiti in grotte naturali. Da sempre in questa zona l'uomo ha scelto la vita in grotta, testimoniando un adattamento all'ambiente di eccezionale valore culturale ed antropologico.
La tipica abitazione all'interno dei Sassi di Matera è disposta su tre livelli, ◯ .
Le abitazioni nei Sassi sono state abbandonate a partire dal 1952 ed oggi molte di esse, trasformate in alberghi, offrono ai numerosi turisti la possibilità di vivere l'atmosfera della vita in grotta.

3. **Palmanova** fu fondata nel 1593 a nord di Aquileia, tra Venezia e Trieste, e progettata per ospitare ventimila persone. La fortezza della città, che doveva costituire il centro strategico per neutralizzare gli attacchi ottomani dall'Oriente e gli attacchi dall'Austria, si presenta come un nucleo urbano contenuto all'interno di tre cinte murarie concentriche, due mura veneziane e il perimetro più esterno francese, ◯ . Oggi è uno degli esempi meglio conservati di architettura militare e di città ideale del Rinascimento.

4. La piccola città di **Urbino** si trova sulle colline marchigiane che si affacciano verso il Mar Adriatico, nell'entroterra di Pesaro. La città visse una grande fioritura culturale nel 15° secolo trasformandosi da borgo medievale a splendida corte principesca e centro d'attrazione per artisti e studiosi italiani e stranieri. La crisi economica e culturale che colpì la città a partire dal XVI secolo le ha anche consentito di giungere fino a noi intatta nell'aspetto attuale, ◯ , un luogo del tutto eccezionale in cui l'ambiente fisico è perfettamente adattato al suo passato medievale.

da unesco.it

parte 5 — Culture a confronto

5.1 • *Come decorare uno spazio urbano dove si incontrano molte culture? Leggi la soluzione trovata dalla città di Copenaghen e abbina un sinonimo alle parole evidenziate.*

Il parco Superkilen si estende per circa un chilometro lungo la città, ed è concepito in tre **macro-aree** ❶, ognuna caratterizzata da un colore ed una funzione. Una strada rossa, composta da un patchwork di "tappeti" in resina, concepita per ospitare attività ed eventi sportivi all'aperto. I colori **squillanti** ❷ la rendono la parte più attiva e forse più **emblematica** ❸ del parco. Una piazza nera **striata** ❹ di bianco, dona un'immagine dinamica allo spazio e definisce aree verdi e per la sosta.
Questi spazi sono strutturati per ospitare giochi da tavolo, incontri all'aperto e barbecue tra famiglie; l'intera piazza ospita infine, ogni weekend, mercatini di quartiere dove la comunità può ritrovarsi. La parte terminale del Superkilen si presenta invece come una lunga striscia verde, con all'interno numerosi spazi gioco per bambini. Questa "lingua" coperta da prati ed alberi, con il suo andamento collinare che **si incunea** ❺ lungo il distretto di Nørrebro, è organizzata per donare alla comunità spazi dove organizzare picnic e dove trascorrere le giornate di sole.
Il **filo conduttore** ❻ che unisce queste parti tra loro molto diverse è la volontà di interconnettere ed ospitare le innumerevoli etnie del quartiere in un spazio comune in

cui esse possano riconoscersi. Questa volontà viene **palesata** ❼ grazie all'inserimento di una grandissima varietà di oggetti che decorano il Superkilen. Allo scopo di selezionare questi **manufatti** ❽, i progettisti hanno personalmente organizzato viaggi ed incontri con i rappresentanti delle comunità locali. Da queste attività condivise **sono scaturiti** ❾ 57 oggetti che sono diventati parte integrante del progetto, uno per ogni realtà culturale presente a Nørrebro. Una fontana dal Marocco, dei porta-bici dal Ghana, insegne dal Qatar e dalla Russia, panchine da Armenia e Brasile, un ring da boxe thailandese ed uno scivolo da Cernobyl; sono solo alcuni degli innumerevoli oggetti che celebrano la diversità del quartiere e caratterizzano questo nuovo "terreno comune".

○ a. tema comune
○ b. resa evidente
○ c. si infila

○ d. accesi
○ e. oggetti
○ f. simbolica

○ g. grandi zone
○ h. sono venuti fuori
○ i. rigata

Immagina di poter costruire una piazza con gli elementi più belli delle città del mondo. Che cosa useresti?

5.2 • *Leggi la storia e ricostruisci la frase finale, scegliendo fra le parole date, come nell'esempio.*

ad | aiuto | bella | del | dove | fra | la | lenta | mondo | nave | per | perso | più |
rotta | ~~siete~~ | sul | vele

Nel 1962 la portaerei americana *USS Independence* incontrò questa nave nel Mar Mediterraneo e lampeggiò con il segnale luminoso: "Chi siete?", a cui fu risposto: "Nave scuola Amerigo Vespucci, Marina Militare Italiana". La risposta degli statunitensi rimase scritta negli annali:

SIETE						

da lefotochehannosegnatounepoca.it

5.3 • *Rispondi alle domande e parla con un compagno delle abitudini legate al rapporto con la bellezza in Italia e nel tuo paese.*

Il tuo paese ha siti patrimonio dell'umanità? Si trovano in grandi città o in piccoli centri?

Nel tuo paese ci sono luoghi dove bisogna osservare un particolare codice di abbigliamento?

Saresti disposto a partecipare a una cerimonia in un luogo di culto (una chiesa, una moschea, una sinagoga, ecc.) solo per la sua bellezza, anche se non ti riconosci in quella religione?

Sei mai stato colpito dalla sindrome di Stendhal o hai provato una forte emozione di fronte a un'opera d'arte? In che occasione?

Secondo te è vero che gli italiani sono più abituati alla bellezza? Se sì, questo li porta a essere più sensibili o più indifferenti?

Che ruolo ha la bellezza nella tua vita? È un elemento che ricerchi o che valuti quando scegli dove vivere?

UNITÀ 20 – IL DERBY

parte 1 **Per cominciare**

1.1 • *Nel prossimo episodio, Val e Piero andranno a vedere un derby, cioè una partita a cui partecipano due squadre della stessa città o della stessa regione. Identifica per ogni coppia di squadre la città o la regione di appartenenza, come nell'esempio.*

a. Genova

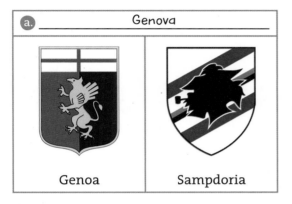

Genoa | Sampdoria

b. _____

Inter | Milan

c. _____

Roma | Lazio

d. _____

Juventus | Torino

e. _____

Chievo | Hellas

f. _____

Fiorentina | Empoli

Val e Piero stanno per andare a vedere il derby della città di Romeo e Giulietta. Qual è? Leggi la storia per verificare la tua ipotesi.

IL DERBY

VAL E PIERO SONO A VERONA PER VEDERE UNA PARTITA DI CALCIO FRA LE DUE SQUADRE DELLA CITTÀ: L'HELLAS VERONA E IL CHIEVO.

Balcone di Romeo e Giulietta

ALLORA CI VEDIAMO DIRETTAMENTE ALLO STADIO? IO VENGO CON I MIEI CUGINI, SE VUOI ABBIAMO POSTO IN MACCHINA...

NON SERVE, TRANQUILLO. MI ACCOMPAGNA PAOLO. È SIMPATICISSIMO, VEDRAI!

PIÙ TARDI... ECCO PIERO E I SUOI CUGINI!

CIAO, MA...

PERCHÉ AVETE LE MAGLIE DELL'HELLAS?! PERCHÉ PAOLO TIFA PER L'HELLAS. QUAL È IL PROBLEMA?

I MIEI CUGINI SONO TIFOSI DEL CHIEVO! NON POSSIAMO SEDERCI INSIEME NELLA TRIBUNA DEL CHIEVO!

PERCHÉ?

parte 3 Capire il fumetto

3.1 • *Segna se queste affermazioni sono vere o false.*

	V	F
1. Val e Piero sono a Verona per assistere a una partita di calcio importante.	☐	☐
2. Val e Piero raggiungono lo stadio separatamente.	☐	☐
3. I cugini di Piero e Paolo sono tutti tifosi del Chievo.	☐	☐
4. Val non vuole sedersi nella tribuna del Chievo.	☐	☐
5. Piero è arrabbiato perché Val ha la maglia del Chievo.	☐	☐
6. Secondo Val la partita è stata bellissima.	☐	☐
7. I ragazzi festeggiano il risultato tutti insieme.	☐	☐

3.2 • *Guarda di nuovo questa vignetta. A che cosa si riferisce?*

☐ a. Al fatto che Verona è una città famosa per i suoi balconi. Un'abitudine dei giovani nel Medio Evo era di entrare nelle case dei loro amici dai balconi, per fare scherzi e organizzare feste.

☐ b. Alla rivalità fra tifosi dell'Hellas e del Chievo. Secondo la tradizione, quando c'è il derby, la squadra che perde deve lavare approfonditamente i locali dove si trovano gli avversari, in particolare balconi e finestre.

☐ c. Alla storia di Romeo e Giulietta. Nella nota tragedia di Shakespeare, ambientata a Verona, due giovani non possono vivere il loro amore perché appartengono ai Montecchi e ai Capuleti, due famiglie rivali.

3.3 • *Che cosa pensa Val nella vignetta al punto* **3.2**? *Tre risposte sono compatibili con la storia di Romeo e Giulietta, trova quella che si riferisce a un'altra storia.*

☐ a. "Certo che in questa città sono proprio fissati con le vendette!"

☐ b. "Ma non dovevo salire attaccandomi ai suoi capelli?"

☐ c. "Mmm... Se mi ricordo bene, questa storia finisce proprio male!"

☐ d. "Ora devo solo sperare che passi un Montecchi per aiutarmi a scendere."

4.1 • *Questi testi rappresentano il punto di vista di due stranieri rispetto al calcio in Italia. Leggili e segna se le affermazioni della griglia sono presenti nel primo testo, nel secondo o in entrambi.*

1. Un inglese a Verona

Rimasi subito colpito dalla completa trasformazione che subivano i veronesi entrando al Bentegodi[1]. Di norma è gente pia, corretta, riservata. Allo stadio i tifosi erano sboccati, eccitati e divertenti. Facevano anche un fracasso enorme, e se aggiungevo anche la mia voce al baccano sembravano dimenticare che ero inglese. Con il passare del tempo la Curva sud[2] è diventata l'unico luogo di Verona in cui sentivo di appartenere o almeno in cui potevo godere di quest'illusione. È questo il senso della curva. Appartenenza. Cieca appartenenza. La curva

è l'antitesi dell'individualismo. Un'oasi in cui poter semplicemente stare insieme, come nel mondo moderno non si fa più.

da Tim Parks, *Questa pazza fede*

2. Un americano a Roma

Arrivai in Italia proprio alle soglie dei Mondiali del 1998. Per me, che non conoscevo la lingua e non sapevo pressoché niente della storia e della politica nazionali, una partita degli *azzurri*[3] era un biglietto d'ingresso alla comprensione istantanea di uno dei punti fermi degli italiani. Solo poco più tardi scoprii che degli azzurri agli italiani non importava poi granché. Di certo non importava ai romani. Era con la propria squadra che la gente si identificava in Italia, così come si riconosceva nella città o nella regione di provenienza; era alla propria squadra che si tributava fedeltà. La nazionale era un ripiego, un'imposizione, nonché una minaccia di infortunio per le punte di diamante[4] della squadra del cuore. Tutto questo, però, cambiava se gli azzurri arrivavano in semifinale. Allora, perfino i romani cominciavano a parlare dei ragazzi e un tifoso della Juventus poteva spingersi al punto di affermare che la stella del Milan che aveva fermato i tedeschi non era poi tanto male. Questa ambivalenza è ingiusta, ed è anche una mancata occasione per andare fieri di una delle vostre migliori creazioni.

da Jeff Israely, *Stai a vedere che ho un figlio italiano*

		1	2	E
a.	Allo stadio le persone si sfogano e si lasciano andare.	☐	☐	☐
b.	La squadra della propria città è un forte simbolo di identità e appartenenza.	☐	☐	☐
c.	L'amore per la nazionale si manifesta solo quando ci sono risultati importanti.	☐	☐	☐
d.	All'interno delle tifoserie, l'amore per la squadra cancella tutte le differenze.	☐	☐	☐
e.	All'interno delle tifoserie si sente molto la gioia di far parte di un gruppo.	☐	☐	☐
f.	Le persone hanno sentimenti contrastanti nei confronti della nazionale.	☐	☐	☐

[1] Bentegodi: stadio di Verona.
[2] curva Sud: tradizionalmente in Italia, la curva è il settore dello stadio dove si trova la tifoseria più appassionata e turbolenta.
[3] azzurri: soprannome della nazionale italiana di calcio.
[4] punte di diamante: giocatori più forti.

4.2 • *Ricostruisci queste citazioni sul calcio, come nell'esempio.*

(a) 1. Il calcio è come una briscola al bar con il tuo migliore amico.

◯ 2. Gli italiani perdono le guerre come se fossero partite di calcio

◯ 3. Se il calcio fosse uno sport

◯ 4. Il calcio è la cosa più importante

◯ 5. Il calcio è un gioco semplice: 22 uomini rincorrono un pallone

◯ 6. Il calcio giocato è sicuramente

a. Quando giochi, fai di tutto per fregarlo. Quando posi le carte, bevi con lui un bicchiere. – **O. Bagnoli**

b. i giornalisti sportivi sarebbero molti di meno. – **N. Balasso**

c. delle cose meno importanti. – **A. Sacchi**

d. e le partite di calcio come se fossero guerre. – **W. Churchill**

e. la miglior medicina per il calcio stesso. – **G. Buffon**

f. per 90 minuti, e alla fine la Germania vince. – **G. Lineker**

4.3 • *Val ha perso un oggetto per lui importante, ma non si ricorda il nome in italiano. Aiutalo a trovarlo e rispondi alle domande.*

1. L'oggetto che sta cercando Val è un __ __ __ __ __ __ __ __ __ __ __ __ *e si trova nel riquadro:* __ __ __ __ __ __ .

2. *Nel riquadro ci sono vari oggetti che si usano in sport diversi dal calcio. Di quali sport si tratta?*

4.4 • *La storia di Verona è strettamente legata ad alcuni personaggi. Abbina le loro storie ai ritratti.*

| William Shakespeare | Cangrande Della Scala | Catullo | Romeo e Giulietta | Wolfgang Amadeus Mozart |

1. Molti secoli prima di Shakespeare, un poeta latino legava i suoi sospiri d'amore alla città di Verona. Questo scrittore ha portato nella letteratura latina una piccola rivoluzione. È stato infatti uno dei primi a introdurre il tema dell'amore in un'epoca in cui la letteratura si occupava molto di eroi, guerre e politica.

2. Sono i due personaggi legati a Verona più conosciuti al mondo, eppure non ci sono prove certe che siano veramente esistiti. È risaputo che due famiglie nobili della città, i Montecchi e i Cappelletti (non Capuleti), erano i protagonisti di una lunga e sanguinosa faida, ma nelle cronache antiche non c'è traccia della storia dei due sfortunati innamorati. Oggi sono così conosciuti che ogni anno migliaia di lettere in cui si chiedono consigli d'amore arrivano indirizzate all'innamorata più famosa della letteratura. Tutte le lettere ricevono una risposta grazie a un gruppo di volontarie.

3. Nonostante abbia ambientato 13 sue opere teatrali in diverse città italiane, pare che il Bardo di Stratford non abbia mai messo piede né in Italia, né tantomeno a Verona, dove è ambientata una delle sue opere più famose. Il motivo per questa preferenza è presto spiegato: l'Italia era un luogo molto di moda nell'Inghilterra elisabettiana e un'ambientazione italiana prometteva da subito quel fascino esotico, quella passione e quella violenza che il pubblico amava tanto.

4. È stato uno dei massimi esponenti dei Della Scala, o degli Scaligeri, una famiglia che ebbe un'influenza così importante su Verona che ancora oggi "scaligero" è un sinonimo di "veronese". Fu un abile guerriero e un grande mecenate per artisti e poeti come Dante Alighieri, che rimase qui per cinque anni. Un mistero rimasto attorno a questa figura è legato al suo strano nome, per cui ci sono due ipotesi: in base alla prima, sua madre mentre era incinta avrebbe sognato di dare luce a un grande cane. L'altra ipotesi è di origine orientale, il nome sarebbe l'italianizzazione di *Khan,* un titolo che nell'impero ottomano si attribuiva ai capi.

5. Uno dei massimi compositori della musica occidentale è passato più volte a Verona lasciando un piccolo ma indelebile segno del suo passaggio. Il giovane musicista austriaco, infatti, passò per Verona diverse volte per esibirsi. In una di queste occasioni incise sul legno dell'organo le sue iniziali con un coltellino.
Era il 7 gennaio del 1770 e il suo piccolo atto di vandalismo è visibile ancora oggi.

parte 5 · Culture a confronto

5.1 • *Alcune città hanno voluto dedicare delle statue a personaggi di fantasia. Abbina le immagini alle citazioni letterarie corrispondenti.*

Peter Pan
Londra

Giulietta
Verona

La sirenetta
Copenaghen

Don Chisciotte
e Sancho Panza
Madrid

Alice e il Cappellaio Matto
New York

Sherlock Holmes
Londra

○ **a.** In mezzo al mare l'acqua è azzurra come i petali dei più bei fiordalisi e trasparente come il cristallo più puro; ma è molto profonda, così profonda che un'anfora non potrebbe raggiungere il fondo; bisognerebbe mettere molti campanili, uno sull'altro, per arrivare dal fondo fino alla superficie. Laggiù abitano le genti del mare.

○ **b.** «Ma io non voglio andare fra i matti», osservò lei.
«Be', non hai altra scelta», disse il Gatto. «Qui siamo tutti matti. Io sono matto. Tu sei matta.»
«Come lo sai che sono matta?»
«Per forza,» disse il Gatto: «altrimenti non saresti venuta qui.»

○ **c.** Tutti i bambini crescono, meno uno. Sanno subito che crescono, e Wendy lo seppe così. Un giorno, quando aveva tre anni, e stava giocando in giardino, colse un fiore e corse da sua madre. Doveva avere un aspetto delizioso, perché la signora Darling si mise una mano sul cuore ed esclamò: "Oh, perché non puoi rimanere sempre così!".

○ **d.** In un paese della Mancia, di cui non voglio fare il nome, viveva or non è molto uno di quei cavalieri che tengono la lancia nella rastrelliera, un vecchio scudo, un ossuto ronzino e il levriero da caccia.

○ **e.** Eliminato l'impossibile, ciò che resta, per improbabile che sia, deve essere la verità.

○ **f.** Oh Romeo, Romeo, perché sei tu Romeo? Rinnega tuo padre, e rifiuta il tuo nome! O, se non lo vuoi, tienilo pure e giura di amarmi, ed io non sarò più una Capuleti.

5.2 • *Alcuni sport di tradizione antica hanno un regolamento alquanto bizzarro. Sul quaderno scrivi le descrizioni di questi sport in base alle parole date e poi fai una ricerca su internet per verificare le tue ipotesi. Ricordati di includere nella descrizione il paese in cui si pratica, il numero di giocatori, il tipo di campo e lo scopo del gioco.*

Cheeserolling: formaggio - collina

Calcio storico fiorentino: palla - lotta

Pumpkin regatta: zucca - remo

Caber toss: tronco - kilt

Eukonkanto: moglie - birra

Bo-taoshi: palo – centocinquanta

5.3 • *Rispondi alle domande e parla con un compagno delle abitudini legate allo sport in Italia e nel tuo paese.*

Nel tuo paese...

Qual è lo sport più seguito?

Gli eventi legati allo sport sono spettacoli tranquilli o si possono vedere disordini e rivalità accese come in Italia?

Ci sono sport tradizionali particolari?

Quando le persone vanno agli incontri sportivi, che cosa fanno? Guardano solamente o dimostrano il sostegno in qualche modo?

1. PARLO IO!

1.1 1. Ciao | 2. Piacere | 3. Grazie

1.2 1/b | 2/c | 3/a

3.1 1. Piacere | 2. sei, Che cosa | 3. Che cosa, Anche | 4. Ti presento

3.2 V: 1, 2, 5 | F: 3, 4

3.3 *Come si scrive il tuo nome?* | 2. Si scrive V – A – L | 3. Che test hai domani? / *Di inglese* | *Val è italiano?* / 1. No, è straniero.

4.1 1. conversazione | 2. interrompere | 3. interesse

4.2 1. interrompere | 2. parlare a voce alta | 3. gesticolare | 4. esprimere sentimenti con il viso.

4.3 a – g – b – e – d – f – c – h

5.1 *Risposta libera*

2. LA COLAZIONE

1.1 *La colazione effettivamente italiana è rappresentata nella foto 9*

1.2 La colazione si fa la mattina. | Il pranzo è a metà giornata. | La cena si fa la sera.

3.1 V: 1, 4, 5, 7, 9 | F: 2, 3, 6, 8, 10 | Risposta alla domanda finale: CAPPUCCINO

3.2 1/e| 2/c| 3/d| 4/a| 5/b

3.3 io faccio; tu fai; lui fa; noi facciamo; voi fate; loro fanno | 1/fa| 2/faccio| 3/facciamo| 4/fai| 5/fanno

4.1 1/NO| 2/SÌ| 3/SÌ | 4/SÌ | 5/NO | 6/SÌ

5.2 La colazione è il pasto più importante della giornata.

3. LA STRADA

1.1 *Da sinistra a destra:* passare davanti | girare a destra | girare a sinistra | andare dritto | attraversare la strada

1.2 2. Fiat 500 | 4. Vespa Piaggio | 6. Ape Piaggio | 9. Ferrari

3.1 1. attraversare | 2. *semaforo* | 3. suonare il clacson | 4. strisce pedonali | 5. piazza | 6. traffico

3.2 c

3.3 1/f | 2/b | 3/a | 4/e

3.4 a. *ci vogliono* | b. ci vogliono, ci vuole | c. ci vogliono | d. ci vogliono | e. ci vuole | f. Ci vuole | g. ci vogliono
Ci vuole si usa al **singolare**, *ci vogliono si usa al* **plurale**.

4.1 1/a | 2/f | 3/c | 4/e | 5/d | 6/b

4.2

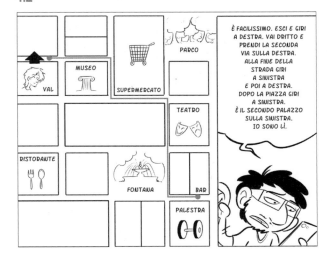

5.1 *incidenti,* attraversare, strisce, fermano, automobilisti, semaforo

5.2 1/b | 2/f | 3/a | 4/d | 5/c | 6/e

4. NON HA MONETA?

1.1 a. carta di credito | b. banconote | c. monete | d. *assegno*

1.2 *Buongiorno, mi dica.* / Basta così / Un euro e cinquanta. / Arrivederci. | in edicola

3.1 1/a | 2/c | 3/d | 4/b

3.2 1, 4, 5, 9, 10 | *La BOLLA di Renzo Piano*

3.3 1/b | 2/c |3/d | 4/a

4.1 *monete* (a), edicola (c), borsa (f), giornale (d), banconota (e) caramelle(b)

4.2 1/h | 2/d | 3/a | 4/e | 5/b | 6/f | 7/c | 8/g

5.1 1/*f* | 2/b | 3/c | 4/a | 5/d | 6/e

5.2 a/3 | b/2 | c/5 | *d/1* | e/4 | f/7 | g/6 | h/8

5. A TAVOLA: SÌ O NO?

1.1 a/*pasta* | b/formaggio | c/pesce | d/carne

1.2 1. Firenze | 2. *Milano* | 3. Napoli | 4. Palermo;
5. Genova | 6. Bologna

3.1 a/vongole – spaghetti | b/secondo – pesce |
c/zucchine | d/caffè

3.2 2. Chiede una pizza dopo gli spaghetti. /
Per gli italiani la pizza è un piatto unico. |
3. Chiede il riso come contorno. / *Per gli
italiani il riso è un primo.* | 4. Chiede il caffè
prima di pranzo. / *Gli italiani bevono il caffè
solo alla fine del pranzo.*

3.3 - 1 Spaghetti alle vongole
 - 1 Spaghetti al pomodoro
 - 2 Frittura di pesce
 - 2 Zucchine
 - Acqua naturale

3.4 Una pera.

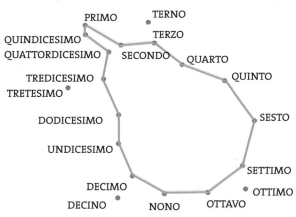

4.1 **antipasti:** bruschetta al pomodoro, caprese,
prosciutto e melone, tagliere di affettati
| **primi:** risotto di verdure, spaghetti
alle vongole, gnocchi al ragù di carne,
minestrone contadino | **secondi:** *tagliata
di manzo,* grigliata di pesce, costine di
agnello, cotoletta alla milanese | **contorni:**
patate arrosto, carote al vapore, patate fritte,
insalata mista

4.2 1. *pizza* + birra | 2. *prosciutto* + melone |
3. *patate* + rosmarino | 4. *uova* + asparagi |
5. *tè* + limone | 6. *pomodoro* + basilico

5.1 a/4 | b/3 | c/*1* | d/6 | e/2 | f/5

6. ORARI FLESSIBILI

1.1 b. Le due e quaranta / Le tre meno venti. |
c. L'una e quarantacinque (e tre quarti) / Le
due meno un quarto. | d. Le otto (Le venti). |
e. Le sette e cinquanta / Le otto meno dieci. |
f. Le nove e un quarto (Le nove e quindici).

1.2 A che ora ci vediamo? / Alle sette e mezza,
davanti alla stazione. | Che ore sono? /
Mezzogiorno meno cinque. | A che ora esci
dal lavoro? / Finisco alle sei. | È molto che
aspetti? / Solo cinque minuti.

3.1 V: 1, 4, 5, 7, 10 | F: 2, 3, 6, 8, 9

3.2 1/arrabbiato | 2/confuso | 3/seccato |
4/tranquillo

3.3 *Nel linguaggio* **parlato** *usiamo di preferenza
i numeri da 1 a dodici e in caso di dubbio
usiamo le espressioni "di mattina" e "di sera".
| Nel linguaggio* **scritto** *di solito scriviamo
gli orari usando i numeri da 0 a 24. Seguono
questa regola anche gli annunci degli orari
nelle stazioni e negli aeroporti.*

3.4 **SCRITTO:** nove – quattordici – ventitré e
trenta | **PARLATO:** dieci – undici e mezza –
nove

4.1 mattina, anticipo, puntuali, in ritardo, tardi,
dopo

4.2 *Risposta libera*

4.3 1/f | 2/c | 3/b | 4/e | 5/a | 6/d

7. COMMENTI INDISCRETI

1.1 1/una persona grassa | 2/una persona molto
bassa | 3/una persona magra |
4/una persona di corporatura media |
5/una persona molto atletica | 6/*una
persona molto alta.*

1.2 *Risposta libera*

3.1 1/c | 2/a | 3/b | 4/d.

3.2 *Val è imbarazzato perché* si sente osservato
| *Val è triste perché* la sua ragazza lo ha
lasciato.

3.3 *da destra verso sinistra:* in carne | in forma.

4.1 3

4.2 1/in carne | 2/non molto alta | 3/normale | 4/*normale* | 5/in forma | 6/slanciata

4.3 *soluzioni possibili:* **1** e **b** sono normali | **3** e **e** sono magri | **4** e **c** sono in carne e non molto alte | **5** e **a** sono alti e in forma.

5.1 peso, delicato, commenti, signora, magro, tuo

5.2 2. poster | 3. Pevr diventare più magri | 4. proibire | 5. in imbarazzo | 6. immagini | 7. le aziende che si occupano di pubblicità

8. COME STO?

1.1 b

1.2

1 B	O	T	T	O	N	I	
2 S	C	I	A	R	P	A	
	3 Z	A	I	N	O		
4 M	A	G	L	I	E	T	T	A
	5 V	E	S	T	I	T	I
	6 P	A	N	T	A	L	O	N	I
7 S	C	A	R	P	E		

3.1 camicia, borsa, pantaloni, scarpe, calzini

3.2 1/c |2/a | 3/b | 4/a

3.3

OCCHIALI DA SOLE
MAGLIETTA
PANTALONI CORTI
CAMICIA
BORSA DI PELLE
INFRADITO
ZAINO
PANTALONI LUNGHI

4.1 a. reggiseno | b. mutande| c. felpa | d. gonna | e. cappotto | f. giacca | g. cravatta | h. vestito | i. sciarpa.

4.2 Vestirsi a **CIPOLLA**.

4.3 scarpe | cravatta

5.1 a. vestiti stesi | b. campo di grano | c.uragani | d. brezza | e. biancheria intima| f. a tutti i costi | g. colpo d'aria | h. colpa | i. campagna

5.2 a/1 | b/6 | c/3 | d/5 | e/4 | f/2

9. MA PIOVE!

1.1 il monumento simbolo della città – **il duom**o | una squadra di calcio – **l'Inter** | Per cosa è famosa Milano – **la moda** | il museo più famoso – **la pinacoteca di Brera** | un piatto tipico – **ol risotto allo zafferano** | un'opera d'arte famosa – **"L'ultima cena" di Leonardo da Vinci**

3.1 a. parco | b. duomo | c. meraviglia | d. pioverà | e. pioggia leggera | f. pinacoteca | *L'ordine esatto è:* 1/c | 2/b | 3/a | 4/f | 5/d | 6/e

3.2 1/b | 2/b | 3/a | 4/b | 5/a

3.3 **VENERDÌ POMERIGGIO:** visita della città | **SABATO SERA:** opera | **DOMENICA POMERIGGIO:** partita del Milan a San Siro

3.4 1. piove | 2. nevica | 3. bisogna/conviene | 4. conviene/bisogna | 5. capita | 6. basta

4.2 1/d | 2/b | 3/a | 4/e | 5/f | 6/c

5.1 lunghi, freddi, sotterranea, mesi | densamente, verticale, altissimi | secco, risparmiare

10. BACI E ABBRACCI

1.1 1/c | 2/i | 3/a | 4/o | 5/n | 6/e *Il saluto è:* ciaone

3.1 1/e| 2/a | 3/f | 4/c | 5/d | 6/b

3.2 Marco è il **fratello** di Piero.

3.3 Marco – *fratello* | Roberto – **zio** | Anna – **mamma** | Laura – **cugina** | Franco – **papà** | Maria – **nonna**

3.4 **LIBRO:** il mio libro, il tuo libro, il suo libro, il nostro libro, il vostro libro, il loro libro | **BORSA:** la mia borsa, la tua borsa, la sua borsa, la nostra borsa, la vostra borsa, la loro borsa | **LIBRI:** i miei libri, i tuoi libri, i suoi libri, i nostri libri, i vostri libri, i loro libri | **BORSE:** le mie borse, le tue borse, le sue borse, le nostre borse, le vostre borse, le loro borse

4.1 1. ✓ | 2. ✗ | 3. ✗ | 4. ✗ | 5. ✓ | 6.✓ | 7. ✓

5.1 1/d | 2/a | 3/b | 4/c | 5/e

11. LA SPAGHETTATA DI MEZZANOTTE

1.1 1/*gnocchi* | 2/conchiglie | 3/spaghetti | 4/fusilli | 5/tagliatelle | 6/orecchiette | 7/ruote | 8/pennette | 9/farfalle | b

3.1 1. F; 2. F; 3. V; 4. F; 5. V; 6. V; 7. F; 8. F.

3.2 INGREDIENTI PER 5 PERSONE *pasta di diversi tipi: spaghetti,* penne, farfalle *in abbondanza* | *Una barattolo di* pomodoro | *Quattro foglie di* basilico | *Un pizzico di* origano | *Un vasetto di* pesto | *Abbondante parmigiano* grattugiato | Sale *q. b.*
PREPARAZIONE *Mettere* l'acqua *sul fuoco* | *Buttare la pasta nell'acqua* | *Preparare il sugo con pomodoro e erbe aromatiche come* basilico e origano | *Aggiungere un vasetto di* pesto e grattugiare nella padella del Parmigiano | *Completare con un* peperoncino intero | *Alla fine aggiungere sale q. b.*

3.3 1. *mettere uno o l'altro* | 2. mettere solo un tipo di pasta | 3. metterlo prima della pasta | 4. scegliere uno o l'altro

3.4 prima | dopo |1. buon | 2. buoni | 3. buon | 4. buon | 5. buono

4.1 1/*e* | 2/a | 3/c | 4/b | 5/d

4.2 1. soffritto | 2. pomodoro | 3. Parmigiano | 4. olio | 5. spaghetti

4.3 a. pesto | b. vongole | c. cacio e pepe | d. amatriciana

4.4 c

4.5 a

4.6 1/b | 2/c | 3/a

5.1 a/4| b/1| c/2| d/3|

5.2 1/b | 2/d | 3/a | 4/e | 5/c

12. LA FILA

1.2 b

3.1 *Informazioni non presenti:* due bottiglie di acqua da bere | numero 6 | è straniero

3.2 1/a | 2/b | 3/a | 4/a

3.3 1. Dopo Marco è toccato a me dare le carte |

2. Giulia ha toccato l'acqua con un dito per controllare la temperatura | 3. Mi è toccato tornare indietro per recuperare le chiavi della macchina | 4. Non ho toccato un goccio da bere per tutta la serata | 5. Abbiamo dovuto dividere il pranzo: ci sono toccati due panini col formaggio e una mela a testa.

3.4 Toccava a me | C'ero prima io! | Non ha visto che c'è la fila?

4.1 La sagra inventata è la "Sagra del risotto al cioccolato".

4.2 1. Perdersi tra i Monti Azzurri, i Monti Sibillini. | 2. Entrare nel cuore delle Grotte di Frasassi e raggiungere il Tempio del Valadier | 3. Scoprire i borghi più belli delle Marche | 4. Esplorare San Marino, la Repubblica sul Monte Titano.

5.1 a. Ho solo 15 minuti di pausa pranzo! | b. Devo comprare solo queste due cose | c. Sono incinta | d. Ho lasciato la macchina in doppia fila! | e. Ho già fatto la spesa, ma avevo dimenticato di comprare il latte | f. Voglio solo sapere quanto costa.

5.2 ha perso, guadagna, assicurazione, contributi, sprecarlo, precise, negozio, successivi, mi auguro
Le informazioni contenute nel testo sono: 1, 4, 5

UNITÀ 13 – RUMORI A ROMA

1.1 d

1.2 a. 1960; b. 753 a. C.; c. 1508; d. 380; e. 1871; f. 117.

3.1 1/d | 2/ c | 3/f | 4/a | 5/e | 6/b

3.2 3

3.3 Via dei Fori Imperiali